타로카드 **완전초보**의

하루읽기

BOOKK✎

타로카드 완전초보의

하루읽기

발　행 | 2024년 6월 14일
저　자 | 우재 윤필수
겉표지 | 윤정별
펴낸이 | 한건희
펴낸곳 | 주식회사 부크크
출판사 등록 | 2014.7.15.(제2014-16호)
주　소 | 서울특별시 금천구 가산디지털1로 119SK 트윈타워 A동 305호
전　화 | 1670-8316
이메일 | info@bookk.co.kr

ISBN | 979-11-410-8801-9

www.bookk.co.kr

들어가며

YouTube를 보다가 우연히 처음 보는 타로카드에 관한 이야기가 나와서 조금씩 보다 보니 너무 흥미로웠다.

맨 처음 유래는 트럼프 카드로 뽑아서 점(占)을 쳤다고 한다. 왠지 나에게는 매력적으로 와 닿았다. 그래서 타로(TAROT)를 배우고 싶다는 마음의 동요가 일어나 타로(TAROT)에 관련된 책을 여러 권(12권정도)을 읽어 보았다.

나이가 있어서 그런지 한 권을 끝까지 다 읽고 나서 다시 첫 페이지를 펼쳐보면 많은 부분이 전혀 생각이 안나고 그림과 극히 일부분만이 생각날 뿐이었다. 정말 나이는 못 속이는 것 같았다. 그래서 이것저것 찾아보다가 기본적인 배경 지식을 갖추기 위해서 On-Line으로 강의를 2개 정도 수강하고 나서 자격 평가에 통과는 되어 자격증(타로심리상담사1급)을 가지고는 있으나 카드를 펼치면 아무것도 생각이 나질 않았다. 어디서부터 어떻게 이야기를 풀어나가야 할지 막막할 따름이었다.

가끔은 집안 식구들을 또는 지인들을 재미삼아 여러 번 타로카드를 보아주기는 했지만 그때마다 내가 해석해주는 말이 몇 마디도 못 해주고 또한 그 내용은 진짜 너무 간단하고 부실하여 부끄러울 뿐이었다.

어느날 On-Line 문고에서 도서를 찾아보다가 글쓰기에 관련된 책을 주문하여 읽어보는데 나에게는 매우 와 닿는 문장이 있었다. 작가 변은혜씨의 말이다. ***'최고의 자기계발'은 독서가 아니라 '책 쓰기' 이다.*** 책을 쓰는 과정에서 엄청난 공부가 된다. 책 쓰기는 평범한 사람이 전문가로 탁월함으로 가는 여정이라고 말한다. 그래서 용기를 내어 글을 써서 한 권의 책으로 만들어 보자는 결심을 하게 되었다. 또한 책의 형식을 어떻게 할까? 이 생각 저 생각 하다가 불현듯 '일기(日記)'가 생각이 났다. 그래서 하루하루 일상생활을 일기형식으로 언급하며 아침, 저녁으로 타로카드를 뽑아 한 장씩 의미를 되새기고 나름대로 아주 낮은 단계이지만 내 나름대로의 해석을 반복적으로 하다보면 타로카드를 해석하는 능력이 빌드-업 되면서 이후에는 조금은 발전된 나의 모습을 찾아볼 수 있지 않을까 하는 기대 섞인 마음으로 이렇게 하기로 결정했다. 조금의 발전된 나의 모습을 진정으로 기대하면서...

아울러 예전에 한때 유행했던 책으로 간단한 점(占)보는 형식을 빌어서 같이 곁들여 봤고, 이것에서 나온 문장과 타로(TAROT)카드와의 관계도 연결지어 보았다. 또한 이 문장을 Papago로 해석하여 첨부하였다.
이것의 전체 형식은 다음과 같다.

○○○○년 ○○월 ○일 ○요일

TAROT CARD	
아침 타로	**저녁 타로**
에너지 · 촛점	**교훈**(오늘)·**통찰**(내일)
• 오늘 나에게 어떤 에너지가 필요한가 • 오늘 집중해야 할 것은 무엇인가 - 그날의 지침이나 조언 -	• 오늘 내가 배운 교훈은 무엇인가 • 내일에 대한 어떤 통찰을 얻을 수 있나 - 반성적 질문 -

The Book of Answers 〈내 인생의 해답〉
그날 펼친 페이지(쪽) 문장

오늘 하루 - 주된 일
오늘 일어난 일, 행하여진 일

with PAPAGO
한글문장 〈내 인생의 해답〉
영어문장(번역)

오늘의 타로 (여분의 빈공간 중복/간헐적 배치)	
아침 타로카드	저녁 타로카드

그래서 약 3달간의 하루하루 생활을 기록해 나갔다.

이렇게 꾸준히 기록하다 보면 여러 가지 방향으로 발전되길 바라는 마음으로 또한 이것을 책으로 만들어 다시 한번 나와 마주하는 기회를 갖고 바른 방향을 찾으며 거기에서 부족한 점들을 발견하여 자신만의 사유와 철학을 단단히 세워가는 과정의 시간이 이루어지면 더욱 내용이 알찬 삶이 되지 않을까 하는 나의 생각이다. 특별히 개인적인 욕심이고 내용이 많이 부족하겠지만, 타로(TAROT)의 기본적인 지식을 습득하기 위해 관련된 책을 만들고 싶었고 아울러 내가 만든 그 책을 읽으면서 반성, 보완하고 발전된 하루하루를 만들고 싶었다. 또한 나의 존재와 삶을 아우르는 알찬 자유를 느끼고 싶어서였다.

진짜 타로의 왕초보가 그냥 부끄럼 없이 책을 만들어 보았다. 그래서 책의 제목도 『타로카드 **완전초보의 하루읽기**』로 정해 보았다. 나의 하루생활을 내 생각대로 읽어 되새겨 보고 또 적어 보았다. 정말! 정말! 부족하고 부끄럽지만 용기를 내어 한 권의 책을 만들었다.

2024년 초여름　우재 윤필수

차례

TAROT CARD

하루읽기 2월

하루읽기 3월

7

하루읽기 4월

월/일	아침 카드	저녁 카드	The Book of Answer <내 인생의 해답>	쪽수
8	컵 9	15.악마	절대로	140
9	완드2	19.태양	답은 다른 모습으로 나타날지도	143
10	검 3	4.황제	실망하지 않을 것이다.	146
11	컵10	완드기사	비밀로 간직해라	149
12	16.탑	완드기사	동요가 일 것이다.	152
13	검여왕	펜타클4	절대 아니다.	156
15	소드7	펜타클5	그로 인해 멋진 일들이 일어날지도	159
16	컵6	검시종	고생할 만한 가치가 없다.	163
17	완드기사	펜타클 에이스	그로 인해 멋진 일들이 일어날지도	167
18	펜타클10	완드5	기다려라	171
19	검10	7.전차	당신이 알아야 할 모든 것은 알게 될 것이다.	175
20	펜타클2	펜타클10	보다 흥미로워질 것이 분명하다.	180
21	펜타클5	20.심판	1년 후 즈음에는 아무상관 이 없을 것이다.	183
22	5.교황	검에이스	확실하다	186
23	컵9	컵5	망설이지 말라	189
25	완드9	18.달	예기치 못한 일에 대비하라	192
26	펜타클9	펜타클왕	우선 순위를 정하는 것이 필수 과정이다.	195
27	4.황제	검4	당신이 조금더 나이든 후라면	198
28	검시종	검5	지지를 받게 된다.	201
29	4.황제	컵시종	절대로	205
30	완드8	완드10	동요가 일 것이다.	209

하루읽기 5월

TAROT CARD

- MAJOR ARCANA

- MINOR ARCANA

☾ 타로카드는 우리가 내면에서 찾는 지혜와 연결시켜줍니다.

- 레이첼 폴락 -

메이저 카드(MAJOR ARCANA) 22장

0.바보   1.마법사   2.고위여사제   3.여황제   4.황제

5.교황   6.연인   7.전차   8.힘   9.은둔자

10. 운명의 수레바퀴   11.정의   12. 매달린남자   13.죽음   14.절제

15.악마   16.탑   17.별   18.달   19.태양

20.심판   21.세계

마이너 카드(MINOR ARCANA) 56장

✹ 슈트 카드(Suit Cards):

완드(Wands)	컵(Cups)	소드(Swords)	펜타클(Pentacles)
불	물	공기	흙
☞ 4 원소 ☜				

* 총 56장 = 숫자카드(핍카드40장) + 인물카드(코트카드16장)

완드(Wands)/불   핍카드(Pip Cards) ⇐ 숫자가 붙은 카드

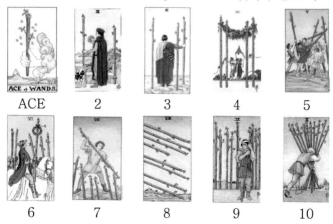

ACE	2	3	4	5

6	7	8	9	10

인물카드(코트카드Court Cards) ⇐ 계급이 붙은 카드

시종   기사   여왕   왕

컵(Cups)/물   핍카드(Pip Cards) ⇐ 숫자가 붙은 카드

| ACE | 2 | 3 | 4 | 5 |

| 6 | 7 | 8 | 9 | 10 |

인물카드(코트카드Court Cards) ⇐ 계급이 붙은 카드

| 시종 | 기사 | 여왕 | 왕 |

✱ ACE : 최초의 하나. 시작, 근원, 이후의 모든 수를 낳는
　　수이기 때문에 신을 상징. 잠재된 가능성

✱ 2 : 하나에서 분리되어 양극성이 생기는 수, 둘 사이에서
　　생기는 작용들, 분열, 화합, 대립, 균형 등

소드(Swords)/공기   핍카드(Pip Cards) ⇐ 숫자가 붙은 카드

ACE   2   3   4   5

6   7   8   9   10

인물카드(코트카드Court Cards) ⇐ 계급이 붙은 카드

시종   기사   여왕   왕

✴ 3 : 2의 양극성을 통합. 삼위일체, 기하학적으로 최초의
    면을 이루는 수이며 개념이 힘을 갖고 구현되기 시작
    하는 수, 각 슈트의 힘이 효력을 발휘하기 시작

16

펜타클(Pentacles)/흙   핍카드(Pip Cards) ⇐ 숫자가 붙은 카드

ACE   2   3   4   5

6   7   8   9   10

인물카드(코트카드Court Cards) ⇐ 계급이 붙은 카드

시종   기사   여왕   왕

✱ 4 : 질서, 안정, 고정, 순환, 기하락적으로 입체가 생기고,
   시스템이 완성되어 그 안에서 순환이 시작되는 수,
   4방위, 4계절, 4원소, 4복음서 등과 상응.

✱ 5 : 홀과 짝의 합으로 된 최초의 수이며 혼인의 수이자
자연 질서의 수이기 때문에 보통 좋은 의미로 많이
쓰이나, 타로카드에서는 4의 안정을 분열시키는 수,
분열, 혼란, 갈등, 투쟁, 극복 등

✱ 6 : 5의 분열을 통합. 약수들의 합이자 곱인 완전수.
분열된 것을 통합하여 완전한 균형을 이룸. 상위계와
하위계를 연결, 승리, 안정, 통합, 균형, 분배, 자비 등

✱ 7 : 정신의 수 3과 물질의 수 4의 합. 창조의 7일, 점성술
의 7행성과 1주일의 7일 등 인간이 손댈 수 없는 세
계가 돌아가는 주기를 뜻함. 타로카드에서는 새로운
경지로 나아가는 수이기 때문에 도전, 고난, 새로운
시도, 시행착오 등이 발생.

✱ 8 : 4+4 이기 때문에 4가 상징하는 시스템이라는 개념이
완벽해지는 수. 타로카드에서는 7이 준비하고 성취한
것을 완벽하게 이루기 위한 과정.

✱ 9 : 개별성의 영역에서의 완성. 지복의 수. 완성, 승리,
행복, 풍요 등.

✱ 10 : 보편성의 영역에서의 완성. 천국의 수. 보편성이
되어 하나의 세계를 이루고 일상이 됨.

☪ ☪ ☪ ☪ ☪ ☪ ☪

✻ 코트 카드(Court Cards)

 코트카드는 보통 '궁정카드'로 번역됩니다. 코트(Court)
라는 단어는 법정, 법원, 운동 경기장이라는 뜻도 있으며, 궁
정을 가리킬 경우에는 실제 물리적인 공간이 아닌 공유하는
문화와 사람들의 관계로 이루어지는 개념적인 공간을 뜻합
니다.

 그래서 코트 카드(Court Cards)에는 중세 유럽의 궁정에서
볼 수 있는 계급이 그려져 있으며, 이것이 바로 King,
Queen, Knight, Page 의 4계급입니다. 이들은 각각 왕, 여왕,
기사, 시종으로 번역되어, 이 4가지의 계급이 마이너 아르카
나(Minor Arcana)의 뜻을 만드는 것이 됩니다.

하루읽기

○○○○년 ○○월 ○일 ○요일

TAROT CARD	
아침 타로	**저녁 타로**
에너지 · 촛점	**교훈**(오늘)·**통찰**(내일)
• 오늘 나에게 어떤 에너지가 필요한가 • 오늘 집중해야 할 것은 무엇인가 　- 그날의 지침이나 조언 -	• 오늘 내가 배운 교훈은 무엇인가 • 내일에 대한 어떤 통찰을 얻을 수 있나 　- 반성적 질문 -

The Book of Answers 〈내 인생의 해답〉
그날 펼친 페이지(쪽) 문장

오늘 하루 - 주된 일
오늘 일어난 일, 행하여진 일

with PAPAGO
한글문장 〈내 인생의 해답〉
영어문장(번역)

오늘의 타로 (여분의 빈공간 중복적 배치)	
아침 타로카드	저녁 타로카드

하루읽기

2월

☾ 타로카드는 우리의 잠재의식과 소통하는 언어입니다.

- 마리온 웨스트-

2024년 2월 25일 일요일

TAROT CARD	
아침 타로	저녁 타로
THE STAR.	PAGE of WANDS.
17. 별	완드 시종

 ## 《아침타로》 17.별 (THE STAR)

키워드 및 의미

- **희망, 새로운 시작**, 시간이 걸리지만 확신있게 진행할 것.
- **인기**가 있음. 속도를 늦추지 말 것. **계속 진행됨.**
- **희망과 행운, 긍정적 결과**, 행운과 재생카드,
- 감성도 풍부하고 **현실적인 노력**도 게을리하지 않음.
  해와 달과 다르게 별을 바라보는 사람에게만 영향을 줌.

이 카드는 순수하고 진실되게 처음부터 다시 새롭게 시작하는 것으로 해석됨. 또한 하고자 하는 것에 속도를 늦추지 않고 길게 본다는 의미에서 당장의 욕심을 내지 말라는 뜻. 또한 확신이 섰으면 실체적 행동을 하라는 뜻 같음. 감성에 치우치지 말고 차분히 다시 시작하라. 생각이 명확하고 확고하다는 뜻으로 해석된다.

The Book of Answers ⟨내 인생의 해답⟩

" 시간 낭비하지 마라 "

⟨내 인생의 해답⟩을 펼쳐본 순간 '시간을 낭비하지 마라'는 문구가 나왔다.

첫 번째 드는 생각은 지금 하려고 하거나 하는 것을 하지말라는 뜻으로 생각이 되었다. 조금 깊게 생각하니 지금 하고자 하는 일을 중심으로 열심히 하며, 다른 일들에 시간을 낭비하지 말라는 뜻으로 받아들이기로 해석하였다. 하고자 하는 것을 꾸준히 노력하라는 뜻 같다.

오늘 하루 - Dancing Team 약속

오늘은 전 학교에서 같이 근무하던 선생님께서 3일 전에 연락이 와 오래간만에 시간을 같이했다. 그런데 한 분이

코로나19 (요사이는 변종 코로나)로 인하여 못 나오셔서 3명만 같이 만났다. 이렇게 4명이 학생들 가을 축제 때 Dancing Team이었다.

부평에 있는 굴밥 식당에서 만났다. 모두 반가운 표정의 얼굴들이다. 장소를 정한 선생님께서 음식을 시킬 때 보니 굴이 아닌 제육 덮밥으로 시키는 것이 아닌가. 그래서 내가 그 선생님에게 그 이유를 물어보니 다름이 아니라 그냥 집에서 가까워서 그곳을 만남의 장소로 정했다고 했다. 하하하. 나 또한 예전에 통영에서 바위에 붙어있는 생굴들을 따먹고 토사광란이 일어나 너무 혹독한 경험을 하여 그 이후로는 굴을 보면 괜히 꺼려진다. 아무튼 식사와 막걸리, 전을 맛있게 먹고 근처의 Coffee Shop을 찾았으나 마땅한 곳이 없어서

파리 빠게트 안에 있는 Cafe로 가서 ~라떼를 마시며, 두 분이 농사를 짓고 계셔서 멧돼지에 의한 농산물 피해, 경운기, 트랙터 운전, 용도, 크기, 가격 등 농사에 관련 이야기와 나의 군대 이야기, 근래 책 쓴 이야기들을 중심으로 나누며 즐거운 시간을 보냈다. 이 선생님도 함께 있었으면 더 좋은 시간였을 것 같은 아쉬운 마음이 들었다.

《저녁타로》완드시종 (PAGE of WANDS)

키워드 및 의미

- 무언가를 **시작하기로 결심한 상태**만 나타내고 있음.
- 행동하는 카드로 **열정과 의지를 세우기 시작**한 인물.
- 행동했거나 **하려고 한다**는 뜻.
- 주변의 상황과 환경은 나에게 주어지는 것이다.

> ### 교훈(오늘)· 통찰(내일)

오늘부터 타로(TAROT)카드 + 내 인생의 해답(The Book of Answers)을 활용하여 하루하루의 일상생활을 간단히 적어보려고 마음먹었다. 이런 나의 마음이 어느 정도 은근히 카드에 나타난 것 같다. (17.별 , 완드시종)

저녁 타로카드로 완드 시종(PAGE of WANDS)이 나왔다. 이 카드의 의미는 무언가를 시작하려는 상태, 행동을 하려고 하는 상태를 뜻한다. 내 마음이 들킨 것 같은 느낌이다.

아무튼 내 마음과 행동이 카드에 나오다니 다소 신기하기
도 하다. 오늘부터 시작이다.

With PAPAGO
시간을 낭비하지 마라
Don't waste your time

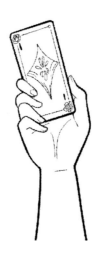

ⓒ **타로카드는 우리의 잠재의식과 소통하는 언어입니다.**

2024년 2월 26일 월요일

TAROT CARD	
아침 타로	저녁 타로
KING of CUPS.	THE CHARIOT.
컵 킹	7. 전차

 ## 《아침타로》 컵 킹 (KING of CUPS)

키워드 및 의미

- **정서적 균형, 감정통제, 관대함.**
- 고민하다. 이해하다. 학구적, 자상하다.
- 킹 : **자신감**있게 **현실적**으로 잘 다루는 인물.
- 자신의 현실적인 부분을 희생하면서까지 도움을 줄 인물

29

이 아니라는 것.

- **이중적 모습** : 외면-평화와 사랑, 내면-세속적 권력.

에너지 · 초점

오늘은 '타로카드'와 '내 인생의 해답'을 같이 놓고 해석을 해도 거의 어울리고 방향성이 유사하게 맞는 것 같다는 생각된다.

킹컵 카드는 정서를 중요하게 여기며, 컵 자체가 여성(음)적인 상징이어서 킹의 강인함과 자신감을 여성적으로 잘 수용하는 부드러움을 상징하는 것 같다.

감성과 이성을 잘 헤아려 현실적 행동을 잘하라는 충고의 카드가 아닐까 생각되고 이것과 함께 '내 인생의 해답'은 오늘의 가야 할 방향을 제시하는 것 같다.

마지막까지 초심을 잃지 말라는, 이제 시작한 하루하루의 기록을 꾸준히, 지속적으로 하라는 충고라 생각된다.

The Book of Answers 〈내 인생의 해답〉
" 마지막까지 초심을 잃지 마라 "

오늘 하루 - 동중 모임

부평 장혁민 부대찌개 식당에서 모임이 이루어짐. 40년 가까이 된 오래된 동중 모임이다. 나이들이 전부 60세 이상이

되니 자녀들의 결혼식이 꾸준히 이어진다. 이번에도 4월 초에 2건의 아들들의 결혼식이 있다고 한다. 오늘 참석은 점심식사로 오래간만에 맛있게 부대찌개를 먹고 당구장을 가서 모처럼 4구 당구를 편을 짜서 게임을 하고, 스타벅스에서 우일이가 쿠폰이 있다고 하며 Coffee를 샀다. 카페에서 이야기를 나누며 맛있게 먹고 헤어졌다. 현송이는 저녁 모임이 있어 나하고 전철을 같이 타고 가다가 먼저 상동역에서 하차하여 모임 장소로 갔다. 이렇게 오늘 하루가 지나갔다.

 《저녁타로》 7.전차(THE CHARIOT)

키워드 및 의미
- **승리**, 목표달성 분야에 대한 정복.
- **선과 악 :** 부정한 것도 사용한다는 의미.
- **강한활동성**, 질문의 목표는 대부분 긍정이지만 과정은 편하지 않은 경우도 많다.

31

- 금전은 최상은 아니지만 문제가 발생하면 해결할 정도는 된다.
- **숙명적 2인자**, **승리**에 대한 과도한 집착.

교훈(오늘)· 통찰(내일)

7.전차카드와 〈내 인생의 해답〉과 일맥상통하는 점이 있는 것 같다. '마지막까지 초심을 잃지 마라'이 뜻은 바로 '7.전차카드'의 내용과 즉, 전진, 강한 활동성, 밀어붙임 뿐만아니라 강,약을 잘 조절하라는 뜻도 내포하기 때문에 서로가 공통된 점을 내포하고 있는 것 같다. 겉으로 드러난 오늘 하루 일상과는 큰 연관성은 없는 것 같다는 생각이 든다.

With PAPAGO

마지막까지 초심을 잃지 마라

Don't lose your original intentions until the end.

☾ **타로카드는 우리의 잠재의식과 소통하는 언어입니다.**

2024년 2월 27일 화요일

TAROT CARD	
아침 타로	**저녁 타로**
 V 	 IX
검 5.	컵 9.

 ## 《아침타로》 검 5

키워드 및 의미

- **패배**, 깨질 수 밖에 없는 연합. **비열한 승리**, 갈등 결과. 관계를 더 지속할 생각이 없음. **구체적 결과**가 드러남.
- 올 수 밖에 없는 현실적 결합의 문제점을 상징.
- 참고 참았던 것이 현실문제와 직면하여 **표면화** 된 것.

- **관계의 파탄.** 패배한 상황에서 모든 것을 내려 놓음.
- 더 이상 생각하기도 싫은 심리적 상태, 마음을 다 내려놓은 상태, **포기한 상황**.

The Book of Answers 〈내 인생의 해답〉
" 그것이 당신에게 얼마나 중요한지 누군가에게 말해라 "

오늘 하루 - 유모차

중동 We've The State 건물 2층에서 회원들과 탁구를 치는 날이다. 그래서 아침식사를 하고 탁구라켓을 챙겨 We've The State 2층에 있는 탁구장을 향하여 거리를 나섰다. 길거리를 가는데 앞쪽에서 유모차가 나를 향해 다가오고 있었다. 눈여겨보았다. 유모차 안에는 귀여운 아이가 타고 있었다. 보통 때 같으면 유모차가 지나가는 것을 여러대 보아도 대부분이 애완견들이 타고 있었는데 오늘은 유일무이하게 본 유모차에는 아이가 타고 있었다. 괜히 기분이 좋았다. 왠지 좋은 일이 생길 것 같은 느낌이었다. 장소까지는 아파트에서 약 25~30분 정도 걸으면 도착할 수 있다. 그리고 일부러 계단을 선택한다. 약 80여개계단을 올라가면 다리에 힘이 생기는 것 같다. 탁구장에 도착하여 살짝의 준비운동을 하고 있는데 한 여자회원께서 '직접 내려온 커피'라 맛이 괜찮다고 하며 한잔 마셔보라고 권하였다. 그래서 조금 마셔보니 보통 아메리카노 보다 맛이 순하고 향이 괜찮았다. 그런데 나는 아직 입맛이 촌스러워서 그런지 뭐니 뭐니해도 믹스커피가 최고였다. 그래서 여기에 다시 믹스커피를 넣어서 섞어 먹으니 정말 맛이 좋았다. 믹스커피가 몸에는 별로 안 좋다고 하는데...

먼저 잠깐 레슨을 받고 탁구복식을 아주 재미있게 경기를 하였다. 탁구를 끝내고 집으로 돌아오는 길에 아침에 오다가 맡겼던 조그마한 사진틀을 찾아가지고 집으로 돌아왔다. 오늘은 이것저것 매우 기분 좋은 시간의 연속이었다.

 《저녁타로》 컵 9.

키워드 및 의미

- **현재의 만족**이 미래의 즐거움으로 이어질 확신하는 카드.
- 현재의 상황을 기쁘게 받아들이는 것이 행복의 조건임을 깨닫는 카드.
- 개인적 만족이 주는 **편안함**을 상징, 마음이 느끼는 행복.
- 대체로 질문자가 만족할 정도의 결과를 얻게 된다.

에너지 · 초점

'검5' 는 카톡 상대편(그놈)의 현재 상태인 것 같고, 누군가에게는 말하라는〈내 인생의 대답〉은 내가 카톡 상대편(그놈)에게 보낸 카톡의 전체 분위기와 대동소이 했다.

교훈(오늘)· 통찰(내일)

'컵9'는 내가 카톡 상대편의 답변을 보고 난 후, 오늘의 나의 기분 상태를 말하는 것 같았다. 내가 아전인수 격인 해석인지는 잘 모르겠지만 기분은 보통보다 긍정적인 Up이 된 것 같았다. 더불어 며칠 전에 꾸었던 꿈이 생각났다. 그 꿈은 누가 가게를 낸다고 해서 차를 몰고 가서 주차를 시키고 그 가게 쪽으로 가고 있는데 그 가게 주인이 나에게 돈 같은 모양의 종이(수표같은 모양)를 나의 호주머니에 슬쩍 넣어주는 것이었다. 내가 그 종이를 자세히 보려고 해도 꿈속에서는 잘 보이지 않았다. 그런데 느낌은 꾸어줬던 돈을 받는 느낌이었다.

with PAPAGO
그것이 당신에게 얼마나 중요한지 누군가에게 말해라
Tell someone how important it is to you

2024년 2월 28일 수요일

TAROT CARD

아침 타로	저녁 타로

컵 7.	펜타클 기사

 ## 《아침타로》 컵 7.

키워드 및 의미

- **망상, 욕심, 상상**의 카드, 생각이 복잡하다는 의미에서
  근심, 걱정, 허황된 생각에 빠져있는 모습.

37

- 일이 일어나기 전에 앞서서 너무 많은 생각을 함, 현실화 되지 않는 경우가 많음.
- 주변에 **허언**만 하고 결과를 내지 못함.
- 소망이 **생각에 그침**.

The Book of Answers 〈내 인생의 해답〉

숨어있던 문제가 드러날지도

에너지 · 초점

〈내 인생의 해답〉에서 "숨어있던 문제가 드러날지도" 라는 문구는 긍정적으로 생각됨 → 아침에 카톡으로 책이 1권 팔렸다는 소식을 받음.

오늘 하루 – 카톡 문자

오늘 아침에 집사람과 함께 쇼핑을 갔다. 오늘은 들를 곳이 여러 군데라 시간이 다소 소요될 것 같았다. 첫 번째 마트를 갔다. 쪽지에 적어온 그대로 두루두루 사고 두 번째 장소로 갔다. 장소에 도착하니 카톡이 하나 와 있었다. 요사이 가장 최근에 쓴 것으로 "교직생활 이야기" 라는 책인데 1권이 판매되었다고 출판사에서 카톡으로 연락이 왔다. 물론 보통의 작가들이라면 정말 정말 대수롭지 않은 것이라고 생각하겠지만 나에게는 판매되었다는 사실이 매우 크고 중요하며 기쁜 사실이었다. 기쁜 마음을 가지고 세 번째 쇼핑도 마치고 집으로 돌아왔다. 점심으로 지금 막 쇼핑한 삼겹살을 맛있게 구워 먹었다. 아무튼 아무리 사소한 일이라도 작은 기쁨을 주는 것이 자주 생겼으면 하는 바람이다. 평범한 일상생활 속에서도 위안이나 기쁨을 줄 만한 것을 찾으려고 노력하면, 그리고 찾아낸다면 하루하루가 기쁨이 창조되는 날이 될 것이다. 타로카드와 〈내 인생의 해답〉 '숨어있던 문제가 드러날 지도' 와는 그렇게 큰 상관관계는 있는 것 같지 않다.

《저녁타로》 펜타클기사(KNIGHT of PENTACLES)

키워드 및 의미

- 스스로의 만족을 위한 투자. **자기중심적 모든 요소**, 범주를 벗어난 일은 관여하지 않음.
- 자신이 위치한 상황을 그대로 **유지**하는 것을 최우선, 기존의 거래관계를 지속적으로 유지하려 한다.
- **능력 범위 안**에서만 주체성을 가지고 활용한다.
- (단점) 아직 자신의 영토를 확실하게 챙기지 못했다는 것은 목표에 도달하지 못했고 '진행중' 이라는 의미.

교훈(오늘)· 통찰(내일)

모든 것을 능력 범위내에서 주체성을 가지고 활용하라.

with PAPAGO
숨어있던 문제가 드러날지도
Maybe the hidden problem will be revealed

◖ 타로카드는 우리의 잠재의식과 소통하는 언어입니다.

40

하루읽기

3월

☽ 타로카드는 우리의 꿈과 현실을 연결시켜주는 다리입니다.

- 안젤리카 퀸 -

2024년 3월 1일 금요일

TAROT CARD	
아침 타로	저녁 타로
완드 3.	완드 10.

 ## 《아침타로》 완드 3.

키워드 및 의미

- 완드2의 미성숙한 두려움은 사라진 상태. 이제 앞만 보고 나아가는 그림이 완성됨.
- **행동의 목표가 분명해짐.**
- 원대한 꿈은 대단히 현실성이 있다는 사실이며 행동으로 옮겨졌다는 의미. 이는 단순하고 강력하다.

43

- **추진력, 뚜렷한 방향성.**
- 나의 의지와 열정, 에너지와 힘이 방향을 잡고 그 방향으로 힘을 쏟기 시작한다.

The Book of Answers ⟨내 인생의 해답⟩

" 기회를 잡아라 "

에너지 · 초점

오늘 타로카드와 '내 인생의 해답'이 서로 일치하는 방향으로 나온 것 같다. 즉 방향성을 가진다는 의미를 조금 더 나아가 해석하면, 진전된 생각 차원에서 보면 '기회를 잡아라'라는 의미와 뚜렷한 방향성이라는 것과는 일맥상통하는 것 같이 보인다. 즉 뚜렷한 방향성이란 말은 그 기회를 충분히 활용하라는 한걸음 더 나간 의미와 뜻이 같은 것이라고 생각된다.

또한 타로카드 의미도 꾸준히 하루하루를 기록하고 다른 일도 기회를 충분히 이용하라는 의미인 것으로 생각된다.

오늘 하루 - 꿈 이야기

아침에 아내와 잠깐의 이야기를 나누었는데 그 이야기는 바로 내가 며칠 전에 꾸었던 꿈 이야기이다.

선명히 생각은 안 나지만 대강의 이야기는 이렇다. 꿈속에서 내가 잘 알지는 못하지만 어디선지 인지된 느낌이 있는 것같은 사람이 새롭게 사업을 시작한다고 하여 그 장소로 차를 몰고 갔다. 많은 사람들이 그곳 주차장에 차를 주차하고 큰 도로 옆에서 가까운 위치에 있는 사업장 쪽으로 가고 있었다. 나도 큰 도로에 있는 주차장에 주차를 하고 그쪽으로 걸어가고 있었는데 개업을 한 분이 나에게 가까이 와서 나의 호주머니에 돈(지폐)보다 조금 큰 종이를 넣고 가버렸다.

그래서 꿈속이지만 그것이 무엇인지 알려고 다시 말해 그 종이에 무엇이 쓰여 있는지, 또는 무엇이 그려있는지 알려고 자세히 보았으나 그 종이가 백지는 아닌데 무언가 색깔과 무늬는 있는데 도저히 인식이 되질 않았다. 꿈속이라 그런가 하는 생각도 해봤지만 도저히 알 수가 없었다. 그리고 꿈이 깼다. 그래서 이와 관련된 대화를 안해와 나누었다. 안해는 이것이 서류라고 이야기하는 것이고, 나는 돈이라고 생각했다. 그래서 무슨 돈이 들어오려나 하는 막연한 생각을 했다. 이후 나는 샤워를 하면서 목욕실의 수채구멍을 깨끗이 청소를 했다. 마음까지 깨끗해지는 느낌이 들었다. 차후에 우연히 찾아본 것이지만 한자 사전에 수채(受債) '빚을 받음'이라고 적혀 있었다. 그래서 나는 이 수채(受債)라는 단어의 뜻이 괜히 기분이 좋았다. 수채! 나는 이 단어가 쌍관어(雙關語)의 의미를 갖는 것은 아닌지... 나만의 주관적인 생각으로 들어올 돈이 있는 것 아닌가 하는 생각을 해봤다. 또한 이것은 내 인생의 해답에서는 '기회를 잡아라'라는 문장이 나와서 더욱더 타로카드와 같은 방향성을 가지는 뜻으로 해석하고 싶어진다.

《저녁타로》 완드 10.

키워드 및 의미

• 스스로 짊어진 고통, 본인 스스로 짊어진 짐이기에 누구를 원망할 수도 없으며 직접 감당해야 함.

• 현실적으로 휴식을 취할 수 없는 상황에 직면한 경우 삶에 대한 짙은 후회.

• 벗어나기 어려운 무거운 압박.

• 주어진 일에 최선을 다한다. 항상 온 힘을 쏟는다.

• 현 상황에 주동적으로 온 힘을 쏟고 있긴하다.

교훈(오늘)· 통찰(내일)

스스로 짊어진 고통이라는, 벗어나기 어려운 압박이라는 의미가, 꼭 나에게 해당하는 것이라는 생각이 들지 않고, 상대편의 상황이라는 생각이 너무 진하게 확실하게 든다. 그냥 그런 느낌이 든다는 생각이다. 특히 아침에 수채구멍을 깨끗이 청소를 하고난 후에 우연히 찾아본 사전에서 나온 단어가 수채(受債:빚을 받음)라는 동음이어가 확! 마음속으로 땡겨온다. 이 단어와 일치될 것을 바란다. 아무튼 오늘 나온 모든 것이 같은 방향으로 생각하고 일치되는 것 같은 느낌이다. 앞으로의 방향이 매우 밝을 것 같다는 생각을 지울 수 없다. 야호 ~ !

기회를 잡아라.
Take a chance

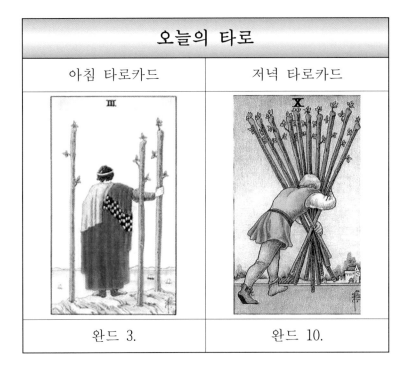

오늘의 타로	
아침 타로카드	저녁 타로카드
완드 3.	완드 10.

☾ **타로카드는 우리의 꿈과 현실을 연결시켜주는 다리입니다.**

2024년 3월 2일 토요일

TAROT CARD	
아침 타로	저녁 타로
컵 4.	펜타클 에이스

《아침타로》 컵 4.

키워드 및 의미

- 감정이 사라짐. **실망과 무기력**으로 전개되기 직전의 모습
- 내 뜻대로 할 수 없는 것에 대한 불만이 가득함.
- **익숙하고 편안한 감정, 관계, 상태**에 집중하다.

• 새로운 것에 적극적이지 않다.

The Book of Answers ＜내 인생의 해답＞

" 전진할 때이다. "

에너지 · 초점

 이 의미의 해석은 타로카드와 연계하여 해석하면 너무 습관적인 일상생활에 안주하지 말고, 그 틀 안에 너무 갇혀있지 말고 새로운 것에도 관심을 가지라는 뜻으로 해석된다.

또한 '내 인생의 해답'에서 나온 "전진할 때이다."라는 문장과 맥을 같이하는 해석이 될 수도 있다고 생각이 든다. 조금 더 자신의 발전, 더 새롭고 나은 생활 등등을 위하여 힘을 쓰라는 말로 해석이 된다. 좋은 말이다.

오늘 하루 - 바람이 많이 불던 날

오늘은 하루읽기(가칭 책 제목) 책을 만들기 위해 오늘까지 대충 연습장에 거칠게 적은 것들을 그대로 컴퓨터에 있는 A5편집용지 사이즈에 맞게 정리를 하였다.

그리고 상대편한테 카톡을 띄워서 다시 한번 약속을 상기시켰다. 역시 상대편은 태생부터가 아닌 것 같았다.

중앙공원으로 나가서 한바퀴(약1.6Km)를 도는데 오늘따라 몹시 강한 바람이 불어왔다. 거리에 있는 많은 사람들이 옷깃을 단단히 여미며 종종걸음으로 걸어가고 있는 모습들이 많이 눈에 띄었고, 상가 앞에 세워놓은 홍보물들이 바람에 쓰러져 있는 것들도 있었다. 중앙공원을 한바퀴 반을 돌고나서 청과물가게에 가 바나나와 구운 껍떼기가 있는 땅콩을 사가지고 집으로 왔다. 집으로 오는 도중에도 바람이 꽤 강하게 불어댔다. 오늘 2월,3월 어느날보다 정말 바람이 강하게 분 날이었다.

저녁이 되어서 대충 8시30분 쯤 다시 상대편에게 카톡을 보냈다. 그런데 그놈은 그것이 자극이 되었는지 그제서야 말한 약속을 이행했다. 정말 이 세상에는 차라리 동물로 태어났으면 고기값이라도 하고 (꼭 인간에게만 도움을 준다는 것이 아니고 자연생태계 전반의 순환에 도움을 줌) 이 세상에 보탬이 될텐데 하는 생각이 들었다. 인간 못 된 것들은 다른 사람들에게 꼭 피해를 끼치니, 참 세상은 왜 그럴까? 그것도 전생에 다 해결하지 못한, 아직 남아 있는 업(業)인가? 하는 생각이 든다. 인간 세상은 어떻게 우주와 연계되어 있는 것이가? 하는 나만의 생각을 해본다.

 ## 《저녁타로》 펜타클 에이스.

키워드 및 의미
- **시작, 출발, 준비된, 풍요로운**
- 물질적 가치를 높이든 모습여서 분명한 목표를 설정함.

- 삶의 목표를 현실에 두는 카드, **여건이 조성된 상태**.
- 어떤 결정이 나에게 더 많은 이익을 줄 것인지 본격적으로 계산하기 시작.
- 주어진 **환경에 적응**하며 이용한다. 현실적이지만 막혀있지 않다.
- 자연 만물은 신성을 드러낸다. 그 속에 부족한 것이 없다.

교훈(오늘)· 통찰(내일)

여건이 조성되고 분명한 목표가 설정되며, 주어진 환경에 적응하여 이용한다는 타로카드의 전체적인 해석된 문구는 매우 긍정적이라고 생각된다. 또한 내 인생의 해답과도 일맥상통하는 것이다. "전진할 때이다" 좋다!.

With PAPAGO
전진할 때이다.
It's time to move forward

타로카드는 우리의 꿈과 현실을 연결시켜주는 다리입니다.

2024년 3월 3일 일요일

TAROT CARD	
아침 타로	저녁 타로
THE FOOL.	THE MAGICIAN.
0. 광대	1.마법사

 ## 《아침타로》 0.광대(THE FOOL)

키워드 및 의미

- 특정한 상황에 집중하거나 구속에 얽매이는 것을 싫어하고 **자유분방한 모습.**
- **마음을 비우는** 카드.

- 현실을 바꿀 수 없는 상황에 대한 자각
- 심리적 안정을 찾는 계기
- 어쩌면 우리가 바보라고 생각하는 광대가 천재일 수도 있다.
- 내면의 순수한 충동에 따라 **개방적**이고 **적극적**으로 행동한다.

The Book of Answers 〈내 인생의 해답〉

" 이미 성사된 것이나 다름없다. "

에너지 · 초점

이 문장은 어제 카톡 상대편(그놈)과의 카톡 대화를 미루어 볼 때 어느 정도 상대편이 마음의 방향을 잡았다고 생각들게 하는 문구이다. 물론 나만의 해석일 수도 있겠으나 상황의 흐름에 비추어 볼 때 그렇다는 나의 느낌일 뿐이다.

오늘 하루 - 작은 이모부 장례식

오늘 아침 9시경 이종사촌의 전화를 받았다. 며칠 전 그의 전화가 왔을 때부터 직감했던 일이다. 평소에 전화 왕래가 거의 없던 이종사촌의 전화였다. 바로 7일 전쯤 이모부가 갑자기 몸이 안 좋아지셔서 한림병원에 입원해 계시다는 전화였다. 그리고 오늘 그의 두 번째 전화였다. 이모부께서 돌아가셨다는 부고 전화가 왔다. 이모부는 올해 91세로 천수를 제대로 마치신 것이라는 생각이 들었다. 안해와 나는 부랴부랴 준비를 마치고 이대 목동병원으로 갔다. 그때가 대략 11시30분 정도였다. 아직 장례식장 준비가 덜 되어있어서 약 2시간 정도 후에 마련된 빈소(殯所)에서 절을 했다. 친척들과 모여서 이런저런 이야기를 나누는데 이종사촌들의 자녀들을 보고 불현 듯 놀랐다. 그 이유는 대화 도중에 이종사촌 아들의 나이를 물어보니 벌써 40대가 되었다는 것이다. 결혼 할때 보고 뜸하다가 오늘 보니 벌써 불혹의 나이를 넘겼다고 생각하니 정말 세월이 빠르다는 것을 새삼 느꼈다. 그 순간 내 나이를 전혀 의식하지 못하고 조카들이 나이 들고 자란 것만을 생각하고 나름대로 착각한 것이었다. 순간적으로 예전에 나로 생각이 멈추어 있었던 것 같았다. 전혀 나이먹은 지금의 내가 아닌 것 같은 순간적인 그런 느낌이었다. 왜 그런 순간적인 착각을 했는지 잘 모르겠다. 아무튼 이런저런 이야기와 여러가지 자신들의 생각들을 모아놓은 자리였다. 약 6시간 정도의 시간이 흘러 이야기를 마무리하였다. 발인(發靷) 날에 또 만나기로 하고 헤어졌다. 이렇게 해서 오늘 하루가 지나갔다.

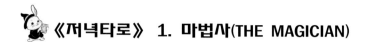 《저녁타로》 1. 마법사(THE MAGICIAN)

키워드 및 의미

- **창조적 시작, 강한 에너지와 설득력**
- (금전) 현재 다소 부족한 상황이라도 결국 채워질 것이다.
- **강력한 긍정의 의미**
- 과정을 극복하고 당장은 어려워도 이로 인해 새로운 기회를 만들게 될 것이다.
- 눈에 보지지 않는 영역과 눈에 보이는 영역을 연결한다.
- 자신의 주변에 놓인 4원소(상황들)를 도구와 재료로 삼아 **자신의 정신을 현실화** 하는 것.

교훈(오늘)· 통찰(내일)

'0.마법사' 카드의 대표적인 의미는 '창조의 시작', '강력한 긍정', '영역의 연결' 등이 눈에 확 들어온다. 그리고 "이미 성사된 것이나 다름없다."의 〈내 인생의 해답〉과는 일맥상통하는 부분이 있는 것 같다. 그러나 오늘 하루와는 그렇게 많은 관련성이 있는 것 같지는 않은 것 같다. 그렇지만 굳이 이야기하면 이모부의 돌아가심은 영의 세계로 가서서 새로운 창조의 시작이라고 생각할 수도 있겠다. '0.마법사' 카드와 다소 연결되는 면이 있다고도 볼 수 있는 것 같다.

With PAPAGO

이미 성사된 것이나 다름없다.

It's as good as it's been done

2024년 3월 5일 화요일

TAROT CARD	
아침 타로	저녁 타로
THE FOOL.	PAGE of WANDS.
0. 광대	완드 시종

 ## 《아침타로》 0.광대 (THE FOOL)

키워드 및 의미

- **새로운 출발**, 밝고 순수한 여행자의 모습, **자유분방한** 모습
- 포기 또는 만족을 통하여 일시적으로 자신의 마음을 내려 놓는 경우

- 심리적 내용은 긍정이지만 현실적 결과는 부정으로 해석하는 경우가 많다.
- **내면의 순수한 충동**, 억압받거나 얽매이는 것을 싫어함.

The Book of Answers 〈내 인생의 해답〉

" 부정적 요인의 리스트를 작성하라. "

오늘 하루 - 이모부 발인(發靷)

아침 4시40분에 눈이 떠져 자리에서 엎치락 뒤치락 하다가 5시 조금 넘어서 일어났다. 오늘은 이모부 발인을 하는 날이라 우리부부는 직접 부평 승화원으로 가기로 하였다. 장례식을 담당하는 책임자가 그곳으로 7시까지 오면 된다고 말해주었다. 우리는 빨리빨리 서둘러서 부평승화원으로 갔다. 약 7시 10분 정도에 도착했다. 주차를 하고 이종사촌 동생에게 전화를 했다. 그런데 전혀 뜻밖의 소식을 들었다. 이 자리에 오지 말아야 하는 사람이(내생각)와 있었다고 전화를 통하여 알려주었다. 그래서 나는 그 사람을 보기가 싫어서 1층 화장장에 있는 15번 화장장 앞에 있다고 우리의 위치를 알려줬다. 이종 사촌들을 만나고 우리부부는 집으로 그냥 돌아왔다. 그 승화원에서 이종 사촌들을 만날 당시 바로 전에 전화로 ○○○○이 왔다고 했을 때 머리가 하얗게 되는 것 같으며 내 정신상태가 매우 큰 혼란에 빠짐을 느꼈다. 왜 그런지는 나도 모르겠다. 잠시 후 가슴이 꽉 막히는 것 같고 분노가 극에 달한 싫은 감정, 인간의 탈을 쓴 악귀를 보는 것 같은 감정 같은 것도 나타나고 아무튼 여러 가지 복합적인 부정적인 감정과 매우 암울한 분위기가 내 주위를 감싸고 있는 것 같은 여러 가지 복합적인 느낌과 생각이 나타났다. 이런 기분을 어떻게 표현할 수가 없다. 아주 더럽고 묘한 기분이 들었다. 그래서 그 인간의 존재 자체가 싫었다. 그래서 더욱더 같은 자리에 있는 것은 상상할 수조차 없었다. 그 자리 빨리 떠나야만 내 마음이 정상으로 돌아올 수 있겠다는 생각뿐이었다. 왜 그렇게 더럽고, 싫은 기분이 나를 묶어 두었는지 모르겠다.

집으로 돌아와서 시계를 보니 9시30분 정도가 되어 있었다. 그래서 가분도 풀고, 운동도 할겸 We've The State 2층 탁구장으로 가서 약간 동안 레슨을 받고 12시 넘어까지 복식 Game을 재미나게 치고 나니 집으로 돌아올 때 조금은 기분이 나아졌다. 그런데 아직도 뭔가 찝찝함이 남아 있었다. 오늘 하루는 온종일 더럽고, 매우 꾸겨진 기분이 오랫동안 나를 지배했다. 참 오늘은 정말 온통 부정적이고 마음이 매우 무거운 날이었다. 이런 마음은 평생에 처음 겪는 것 같았다.

에너지 · 초점

나의 주관적인 생각이지만 아침의 기분상태는 정말 자유로운 광대(THE FOOL)의 기분이었다. 그런데 부평 승화원에 가서 전화 통화를 한 순간 이후부터는 완전히 빛에서 완전한 암측으로 변해버렸다. 정말 이렇게 정상적인 마음의 상태가 암울한 나락으로 계속 추락하는 느낌을 받는 것은 평생 처음이다. 그래서 이런 부정적인 마음을 빨리 없애는 것이 오늘 하루가 정상으로 돌아오는 지금 길인 것 같다. 〈내 인생의 해답〉에서 "부정적 요인의 리스트를 작성하라" 의 대상은 바로 오늘의 부정적인 나의 마음(기분) 전부인 것 같다. 정말 부정적인 것을 넘어서 아주 더러운 느낌의 기분이었다. 순수에서 거짓 사이에 있는 모든 부정적인 요인들이 난리를 치는 것 같았다.

《저녁타로》 완드 시종 (PAGE of WANDS)

키워드 및 의미

- 무언가 시작하기로 결심한 상태만 나타냄
- **행동**하는 카드로 열정과 의지를 세우기 시작한 인물
- 자신의 목표를 위해 행동방식을 바꿀 수 있다.
- **주변의 힘과 에너지와 동조**를 하는 의지이니 수월하게 실현될 가능성이 높다.

> **교훈**(오늘)· **통찰**(내일)

새로 시작하기로 마음먹은 상태로 해석된 카드이다.

With PAPAGO
부정적 요인의 리스트를 작성하라
Make a list of negative factors.

2024년 3월 7일 목요일

TAROT CARD	
아침 타로	저녁 타로
KNIGHT of WANDS.	THE MAGICIAN.
완드기사	1. 마법사

 ## 《아침타로》 완드기사(KNIGTHT of WANDS)

키워드 및 의미

- 결과가 없는 곳에서 마음이 급한 경우, **행동이 앞섬**.

- 준비 없이 욕망이나 욕구를 앞세우는 인물.
  계획적이지 못함.

- (장점) 임기응변에 능하다. 신용을 잃게 되는 경우가 많다.
- 에너지가 넘치니 **통제가 어렵다.**
- 충동적이고 전투적이다. 마음먹으면 즉시 해야한다.

에너지 · 초점

'완드 기사' 카드의 상징은 행동이 앞서거나 충동적인 그리고 계획적이지 못한 행동을 나타내는 카드이다 . 과연 '완드 기사'와 같은 그런 행동이나 상황을 접할 수 있을지 궁금하다.

오늘 하루 – 요양원 방문(남양주)-이모님

오늘은 남양주에 위치한 가은 사랑 요양원을 가는 날이다. 그곳에는 큰 이모가 계신 곳이다. 또한 오늘은 이모의 생신날이라고 한다.

겸사겸사하여 이모를 보러가는데 면회 시간은 11:00~11:20 단 20분간만 이라고 한다. 그래서 아침 9시에 출발하였다. 혹시 차가 밀려 늦게 도착할 수도 있으니 조금은 시간을 여유롭게 잡았다. 수도권 외곽순환고속도로를 타고 1시간 10분쯤 달려서 외곽순환도로를 빠져나와 시내로 들어와 요양원에 도착하니 10시 25분 정도가 되었다.

생각보다는 일찍 도착했다. 그런데 주차장이 매우 협소하여 주차 관리하는 사람에게 차를 어디다 댈 수 있냐고 물어보니 주차장 가운데 그려진 주차 표시가 되어있는 곳에 일단은 주차하라고 하여 그곳에 주차를 시켰다. 그리고 요양원 계단을 올라가고 있는데 전혀 모르는 전화번호로 전화가 와서 통화를 해보니 주차장에 주차해놓은 다른 차 주인으로부터 전화가 온 것이다.

 주차장으로 가보니 내 차가 중앙에 있어서 주변에 주차한 차가 빠져나올 수가 없었다. 나는 내 차를 빼주고 장금 빠져나간 그곳에 주차를 안정적으로 하였다. 그 후 여동생에게 전화를 하여 이곳이 맞는지를 확인하려 하는데 통화하는 여동생의 목소리가 가까운 곳에서 들려와 위를 쳐다보니 바로 그 윗계단으로 올라가고 있었다. 5층에 이모가 계시니 바로 한층 위로 올라오라고 하였다. 조금 일찍 도착하여 기다려야 하나 다소 걱정을 하였는데 그 곳 요양원 측에서 조금 일찍 면회를 할 수 있도록 배려해 주었다. 면회실은 좁은편이었고, 한 번에 최대한 4명만이 면회가 가능하다고 하였다. 우리 인원이 딱 4명이었다. 물론 여동생이 사전에 예약을 해놓은 상태이었다. 이모의 휠체어가 면회실로 들어오고 우리들은 이모를 만날 수 있었다. 그런데 면회할 때는 방문자들이 꼭 마스크를 써야만 한다. 우리들은 이모 휠체어 주위에 둘러 앉았다. 돌아가면서 이모님 바로 정면 앞 의자에 앉아서 서로를 확인시켰다. 내가 앞에 앉아서 이모에게 "내가 누군지 알아볼 수 있냐"고 하니 나를 금방 알아보시고 내 이름을 불러주었다.

 전에 이모가 서울대학 병원에 입원해 계실 때 보았던 모습

보다 지금이 훨씬 생기있고 건강한 모습이다.

이모에게 줄 준비해온 음식 모두 딸이 직접 새벽에 일어나 만들어 온 것이다. 바로 오늘이 이모 생신이기 때문에 더욱 더 그런 것같다. 밥, 잡채, 새우튀김, 등등을 준비해 왔는데 다른 음식들은 한 숟가락 정도만 들고 유난히 새우튀김만 많이 드셨다.

이런저런 이야기를 나누는데 이모님이 자꾸 우셨다. 딸은 계속 울지 말라고 하며 달래드렸다. 그래서 그런지 나도 울 컥하여 괜히 눈물이 나왔다. 왜 그런지 모르게 그 분위기에 여러 가지 과거 일들이 복합적으로 아우러져 동화되었던 것 같다. 이모는 자꾸 손녀를 찾고 딸을 찾고 아들을 찾았다. 물론 손녀만 빼고 다른 이들은 그 자리에 있었다. 남자를 보면 나이를 불문하고 '오빠'라는 명칭을 먼저 붙이고 그 후에 알아보며 거기에 맞는 호칭을 했다. 이런 이모를 보니 왠지 서글픈 마음이 들고 마음 한구석이 허전했다. 지금 이 상황 즉 이모를 통해 나타나는 상황, 지금 노(老), 병(病), 사(死)의 방향으로 가고 있는, 보통 인간들의 시공간 속의 진행이 아닌가 싶다. 거기에 인간의 나약함이 온전히 드러나 있는 것이다.

이모는 손녀가 보내온 생일케이크에서 아주 작은 한 조각을 맛보고 함께 사진 촬영도 하였다.

오늘따라 면회시간을 여유있게 주어서 여러 가지 상황들을 접할 수 있는 기회가 되었다. 면회 시간이 다 되어 서로 인사를 나누고 우리들은 집으로 돌아왔다.

그래도 오늘은 이모의 모습을 볼 수 있어서 한층 더 마음이 가벼워지고 기분이 좋았다. 오늘은 상당히 긍정적인 하루가 되었다.

The Book of Answers 〈내 인생의 해답〉

" 기쁨이 될 것이다. "

 《저녁타로》 1. 마법사(THE MAGICIAN)

키워드 및 의미

- **창조적 시작, 강한 에너지와 설득력**
- (금전) 현재 다소 부족한 상황이라도 결국 채워짐.
- **강력한 긍정**의 의미
- 과정을 극복하고 당장은 어려워도 이로 인해 새로운 기회를 만들게 될 것이다.
- 눈에 보이지 않는 영역과 눈에 보이는 영역을 **연결**한다.
- 자신의 주변에 놓인 4원소(상황들)를 도구와 재료 삼아 자신의 정신을 **현실화** 함.

교훈(오늘)· **통찰**(내일)

아침에 픽(pick)한 타로카드의 해석은, 오늘 요양원을 방문한 것은 계획적으로 이루어진 것이 아니라 그냥 한번 꼭 가봐야 한다는 생각을 행동으로 옮긴 것인데 이것의 결과는 〈내 인생의 해답〉처럼 기쁜 마음을 동반해 주었다. 아울러 주변 상황이 현실화되었다. 또한 저녁의 타로카드 처럼 강한 긍정의 의미를 가져다 주었다. 오늘은 타로카드와 〈내 인생의 해답〉에서 나온 문장이 일맥상통하는 면을 보여준 것 같 았다.

With PAPAGO
기쁨이 될 것이다.
It will be a pleasure.

오늘의 타로	
아침 타로카드	저녁 타로카드
완드 기사	2. 마법사

2024년 3월 9일 토요일

TAROT CARD	
아침 타로	저녁 타로

펜타클 에이스	완드 에이스

《아침타로》 펜타클 에이스
(ACE of PENTACLES)

키워드 및 의미

- 물질적가치를 높이든 모습이며, **분명한 목표**를 설정함.
- 어떤 결정이 나에게 더 많은 이익을 줄 것인지 본격적으로 계산하기 시작했다는 의미로 **욕심이 생겼다**로 해석됨.

- 자연만물은 신성이 드러낸다. 그속에 부족한 것이 없다.
- **창조적 시각, 출발, 준비된, 풍요로운**
- 눈에 보이는 결과, 결실을 낼 수 있는 **여건이 조성된 상태**

The Book of Answers 〈내 인생의 해답〉

**" 그것이 당신에게 얼마나 중요한지를
누군가에게 말하라 "**

오늘 하루 - 장모님 댁 방문

아침 10시 가까이 되어서 수유리에 위치한 장모님 댁으로 향했다. 차가 막혀서 2시간 20분 정도 걸려서 도착했다. 오늘은 날씨도 쌀쌀하여 차들이 한산할 줄 알았는데 그것도 아니었다.

장모님 댁에서 집사람이 준비해 간 음식들로 점심식사를 맛있게 했다. 그곳에는 고양이가 1마리 있는데 내가 가끔은 가서 그런지 맨 처음 갔을 때와는 달리 이번에는 어느 정도 나를 알아보는 것 같았다. 자꾸 내 근처로 와서 나와 친하게 지내자는 행동 같았다.

고양이의 행동을 잘 관찰하면 가끔은 놀라운 행동이 일어난다. 특히 고양이의 점프력과 유연성은 정말 놀랍다. 자기 키의 7~8배 이상이나 되는 물체(큰냉장고)의 꼭대기를 정말 부드럽게 살며시 올라간다. 놀라운 능력이다. 내가 인간이고 고양이 만큼 할 수 없기에 더욱더 그런 모습이 굉장하게 느

꺼지는 것 같기도 하다. 또한 두발을 모으고 꼬리를 앞쪽으로 가지런히 구부려 놓은 모습은 정말 고양이의 모든 모습 중에서 단단하고 가장 고양이로서의 꽉 찬 아름다운 자태인 것 같다. 정말 보기 좋은 모습이다.

집으로 돌아올 때도 갈 때 걸린 시간과 거의 비슷한 시간이 걸렸다. 한가지 예전과 달라진 곳이 있다면 서울에서 인천쪽으로 들어가는 경인고속도로 입구 쪽의 교통량이 눈에 띄게 줄어든 것 같다. 그 쪽 입구만 그렇고 조금 가다 보면 경인간 고속도로 중간쯤 항상 공사를 하고 있어서 차량정체가 수시로 이루어지는 것 같다. 그런 현상이 약 15년 이상 되는 것으로 생각된다. 집에 도착하니 5시 20분쯤 되었다. 이렇게 오늘 하루도 또 지나갔다.

 ## 《저녁타로》 완드 에이스

키워드 및 의미

- **마음의 결심**이 섰을 때 자주 출현, 그 결심을 실행에 옮기기 시작했음을 나타냄.
- 육체적, 현실적 욕망이 **행동으로 옮겨지기 시작**했음.
- 모든 생명, 에너지, 힘의 근원임. 모든 가능성의 원천임.
- 현재 환경이나 상황은 **역동성, 가능성**이 무궁무진한 상태, 변화하는 상황임.

교훈(오늘)·통찰(내일)

아침, 저녁에 픽한 타로카드를 연결시켜 해석해 보면 눈에 보이는 결과, 결실은 낼 수 있는 여건이 조성된 상태이며 마음의 결심이 섰을 때 나타나는 카드이다. 그 결심을 실행에 옮기기 시작했음을 나타내는 카드로 아침과 저녁의 타로카드가 서로 연결되어 이루어지는 상태로 아무튼 시작이 행동으로 옮겨지고 눈에 보이는 결과를 낼 수 있다고 예견된다. 매우 현실적으로 좋은 성과가 기대되는 하루였다.

또한 〈내 인생의 해답〉에 나온 문장 "그것이 당신에게 얼마나 중요한지 누군가에게 말하라"를 보고 카톡 상대편(그놈)이 생각나서 옛 기억을 소환하여 짧은 이야기를 전달했다. 그것이 제대로 된 영향력을 행사할지는 잘 모르겠다. 영향력을 발휘하게 되길 바랄 뿐이다.

With PAPAGO
그것이 당신에게 얼마나 중요한지 누군가에게 말하라.
Tell someone how important it is to you.

☾ 타로카드는 우리의 꿈과 현실을 연결시켜주는 다리입니다.

2024년 3월 11일 월요일

TAROT CARD	
아침 타로	저녁 타로
완드 2	0. 바보

《아침타로》 완드 2

키워드 및 의미

- **행동확장**
- 이미 고정된 것을 기반으로 **새로운 것을 추구**
- 곧 실현될 것이며 행동에 옮기지만 아직은 부족한 모습이 있는 듯.

- **새로운 도전**, 확장, 성장을 위한 의지와 열정을 보여줌.
- 안정에서 도전으로의 전환

The Book of Answers <내 인생의 해답>

더 관대하라

오늘 하루 - 영화감상(파묘)-한국영화

오늘은 사전에 예약한 영화 '파묘'를 보는 날이다. 그래서 롯데시네마로 향했다. 우리동네 롯데시네마는 하나의 빌딩에 8층~13층까지 운영된다. 나는 8층 매표소로 가서 예약한 입장권을 예매기에서 인출 하려고 하니 계속 오류가 났다. 그래서 거기에 있는 직원에게 사정 이야기를 하니 급히 도움을 받아 종이 입장권으로 발급받아 상영관으로 입장하였다. 이 영화는 오컬트 영화로 감독과 제작사는 그렇게 기대가 크지 않았다고 들었다. 그런데 벌써 관람객들이 800만을 넘었다고 하는 미디어들의 소식들이 들어온다. 겸사겸사 그 영화를 보러 갔다. 평일 아침 조조인데도 약 100명이상이 입장되어 있었다. 벌써 4주째인데도 꾸준히 보러 오는 것 같다. 나도 약간의 기대를 가지고 영화를 보러 온 것이다. 그리고 보았다. 나의 주관적인 생각인지 몰라도 이전 오컬트 영화중에 '곡성'이라는 영화를 예전에 보았는데 이 영화는 조금 메시지전달이 난해하고 구성도 입체적인 것 같았다. 그런데

71

이 영화는 거기에 비하면 다소 여러 가지 단순한 것 같았고 구성도 너무 평면적인 것 같다는 느낌이 들었다. 그런데 현재까지 800만명 이상이 보았다니 조금 이해가 가질 않았다. 아무튼 영화는 잘봤다.

《저녁타로》 0.바보(THE FOOL)

키워드 및 의미

- **자유분방한 모습**(내면의 순수한 충동, 현실적 상황이나 제약에 신경 안씀)
- 일단 떠나는 것부터 시작하려 함
- 부정한 세상에서 벗어나는 설렘. **이상향에 대한 동경**으로 심리적인 안정을 찾는 계기(심리적 내용-긍정, 현실적 결과-부정으로 해석하는 경우가 많음)
- **자유로움, 새로운 아이디어**, 파격적인, **즉흥적인**, 불안정적인 결과에 관심없는

교훈(오늘)· 통찰(내일)

챗바퀴 돌 듯한 일상을 탈출한 모습으로, 하루를 자유로운 모습으로 보내는 의미에서 영화를 보았다고 판단되는 《저녁 타로》로 '0.바보' 카드가 나온 것이 오늘 하루의 해석에 조금은 와 닿았다. 〈내 인생의 해답〉 '더 관대해라' 는 문장과 다소 오늘 하루와는 거리감이 있지만, 이 문장을 굳이 갖다 붙인다면 하루를 더 관대하게 다양하게 보내라는

뜻으로 해석된다. 다소 억지스러움이 있을지는 모르지만...

With PAPAGO
더 관대해라.
Be more generous

☾ 타로카드는 우리의 꿈과 현실을 연결시켜주는 다리입니다.

2024년 3월 12일 화요일

TAROT CARD	
아침 타로	저녁 타로
8. 힘	검 8.

《아침타로》 8.힘(STRENGTH)

키워드 및 의미

- **인내**, 시간이 걸려서 얻을 수 있는 강력한 결과.
- **부드러운 카리스마**
- **교감(交感)**에 있어서 최상에 가까운 카드

- 통제되지 않는 동물적인 본성에 순수하고 인간적인 힘이 맞선다.
- **용기, 적극적인, 주도권**

오늘 하루 - 탁구, TV시청

25분 워킹, 2시간 운동, 25분 워킹 이것은 탁구를 하고 돌아올 때까지의 순서이다. 오늘은 탁구 레슨을 받는 날이라 조금 일찍 탁구장에 도착했다. 오늘 레슨의 중심 내용은 화 드라이브 할 때의 스텝을 배웠다. 오른발-왼발, 왼발-오른발 이사에 미리 손은 드라이브 자세를 취하면 훨씬 공을 치기가 용이하다. 이런 내용으로 레슨을 받고 그 이후 복식을 재미있게 하고 집으로 돌아왔다. 그 후 TV를 시청했다. 오늘은 그렇게 특별한 것은 없었다.

The Book of Answers 〈내 인생의 해답〉
" 당신의 직감을 믿어라 "

 《저녁타로》검 8.

키워드 및 의미

- **내적인 두려움**이며 안된다는 생각과 모순에 빠져있는 모습
- 본인 스스로에게 내린 **생각의 형벌**, 실제로 무기력한 상황의

매우 극단적 표현

• 제한된 사고, 반복되는 문제, 소극적인

교훈(오늘)· 통찰(내일)

아침 타로카드를 보니 부드러운 카리스마 '8.STRENGTH' 가 나왔다. 그래서 나는 카톡을 하는 상대편(그놈)에 대한 나의 대응 처세 모습이 나온 것이라 해석된다. 또한 〈내 인생의 해답〉의 '당신의 직감을 믿어라' 라는 문장도 이것과 내용이 맞닿아 있는 것 같다. 또한 저녁타로 카드를 픽(pick) 하고 보니 '검 8'이 나왔다. 이것은 카톡 상대편(그놈)의 현재 상황을 나타낸 것이라 보인다. 즉 제한된 사고, 안된다는 생각과 모순에 빠져있는, 반복적이고 소극적인 상대편의 모습이라고 생각된다.

with PAPAGO
당신의 직감을 믿어라.
Trust your gut feeling.

☾ 타로카드는 우리의 꿈과 현실을 연결시켜주는 다리입니다.

2024년 3월 16일 토요일

TAROT CARD

아침 타로	저녁 타로
완드 5	검 5

 ## 《아침타로》 완드 5

키워드 및 의미

- **서로 의지가 충돌한다**. 자신의 의지를 적극적으로 표출한다.
- 내부적, 외부적인 **갈등과 경쟁**을 통해 목적을 이루려는 구체적인 행위

- **갈등이 표면화**되었으며 원소가 완드이니 구체적으로
  드러났음.

The Book of Answers ⟨내 인생의 해답⟩

" 우직한 끈기는 마침내 보상을 받을 것이다 "

오늘 하루 - 독서(讀書) ☞ 죽음에 관련된 것

오늘은 『우리는 왜 죽음을 두려워할 필요없는가』 서울대학교 소화기내과 정현채 박사의 책을 2/3이상을 읽었다. 평소에도 영(靈), 혼(魂), 죽음 등에 관한 호기심이 많았다. 물질주의, 과학주의의 중심에 서 있는 의사들의 체험이야기가 대부분 이었다. 특히 그 의사가 직접 체험한, 환자가 직접 체험한, 의사의 지인이 직접 체험한 근사체험, 종말체험들의 사례들이 사실에 입각해서 체험한 여러 가지 영(靈)적인 이야기가 주를 이루었다.

결론적으로 말하면 죽음은 벽(壁)이 아니라 또 다른 세계로 가는 문(門)이라는 것이다.

아무튼 이 책의 내용은 나에게 매우 흥미진진하며 긴장감을 자아내는 것들의 내용이었다. 이러한 내용은 매우 만족스러웠다. 그래서 죽음이나 영에 관한 책들을 더 읽어 보아야겠다는 생각이 많이 들었다.

그래서 죽음에 관한 책 『죽음 그 이후, 사후세계 설명서』 남우현 종교 철학 박사가 쓴 책을 또 주문했다. 그 이후 집 주위를 약 1시간 동안 걷기를 하고 들어와 TV시청(시사프로그램)을

78

했다. 이렇게 또 하루가 지나갔다.

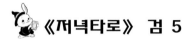 ## 《저녁타로》 검 5

키워드 및 의미

- 의견, 생각, 계획, 이성, 지성이 서로 부딪치는 자리. **승패**
  가 명확히 갈린다.
- 확실하게 승패가 갈린 상황, 일이 빠르게 흘러가고 **상황이**
  깔끔하게 결정
- **패배**, 여지가 없음(확실한 승패), 즉각적임(매우빠르게)
- 더 이상 생각하기도 싫은 심리적 상태
- 관계를 더 이상 지속할 생각이 없음.

교훈(오늘)· 통찰(내일)

타로카드 '완드 5', '검 5'와 〈내 인생의 해답〉 '우직한
끈기는 마침내 보상을 받을 것이다.' 모두 오늘 하루와는 큰
관련이 없는 것 같다. 아무튼 인내하고 기다리면 상황이 깔
끔하게 정리된다는 뜻인 것 같기도 하고 아니면 더 이상 생
각하기도 싫은 심리적 상태를 나타내기도 한 것 같다.

With PAPAGO

우직한 끈기는 마침내 보상을 받을 것이다.

Stubborn persistence will finally reap the rewards.

2024년 3월 19일 화요일

TAROT CARD	
아침 타로	저녁 타로
컵 4	검 2

《아침타로》 컵 4

키워드 및 의미

- 익숙하고. 편안한 감정, 관계 상태에 집중한다.
- **편안함, 익숙함, 오래된 관계, 반복적인**
- 새로운 것에 적극적이지 않음.

• 무기력(無氣力), 권태(倦怠)

The Book of Answers 〈내 인생의 해답〉

"지금 바로 행동에 옮겨라"

오늘 하루 - 탁구 레슨

오늘은 정기적으로 탁구(卓球) 치는 날이다. 탁구 치는 마지막 달이라 오늘 다시 3개월 치를 예약했다. 물론 65세 이상이라 탁구비가 반값이다. 아~ 정말! 벌써! 내가 이 나이가 되었다고 생각하니 그냥 세월의 빠름을 실감할 뿐이다.

오늘은 특히 레슨(Lesson)에 집중하였다. 중심 내용은 포핸드 드라이브(Forehand Drive), 백핸드 드라이브를 배웠다. 포핸드 쪽에 커트(Cut)가 심한 볼(Ball)을 치는 방법과 백핸드 드라이브 쪽 치는 방법을 배웠다. 두 방법(方法) 모두가 어려웠지만 특히 백핸드 드라이브(Backhand Drive) 쪽은 매우 안되었다. 하기야 5~7분 정도 배워서 다 되면 탁구의 천재이다. 익숙할 때까지 자주 치고 연습하는 방법밖에 없었다. 아무튼 백핸드 드라이브(Backhand Drive)의 동작은 나에게 매우 어색했다. 모두 꽤 어려운 기술인 것 같다. 오늘의 주된 내용은 바로 탁구 레슨(Lesson)이었다.

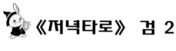 **《저녁타로》 검 2**

키워드 및 의미

- **고민**, 지성이 움직인다. 결단은 한쪽으로 치우친 것, 결단 뒤에는 생각의 흐름이 멈춘다.
- 균형잡힌 사고, 결정을 못내리는, **내적 갈등**
- 생각이 깊고 균형 잡혔다. 어떤 결정을 할 때 충분히 생각하고 결정한다. 우유부단 할 수 있다.
- **내적인 갈등, 갈등의 정점**

교훈(오늘)· **통찰**(내일)

오늘의 타로카드 '컵 4', '검 2'와 〈내 인생의 해답〉'지금바로 행동에 옮겨라'라는 문장을 종합해 볼 때 전체적인 흐름은 익숙한 습관에 의존해 있지 말고 그 틀을 깨고 나와서 행동으로 옮겨라. 단 생각을 잘해서 행동으로 옮기라는 것이 아닌가 싶다.

With PAPAGO
지금 바로 행동에 옮겨라.
Put yourself into action now.

2024년 3월 20일 수요일

TAROT CARD	
아침 타로	저녁 타로
THE HIEROPHANT	THE HANGED MAN.
5. 교황	12. 거꾸로 매달린 남자

 ## 《아침타로》 5. 교황(THE HIEROPHANT)

키워드 및 의미

- 자신의 **신념이 굳건하고**, 이를 삶에서 실천하며 살아간다.
- 집중하고 온화하며 도움을 청하는 사람들을 도와주지만 이용당하지는 않는다.

- **신뢰, 신중한, 지속성, 외유내강, 선택**
- 제휴와 연합에서도 위와 아래가 존재함을 암시

오늘 하루 -평범한 하루

평범한 하루였다.

The Book of Answers 〈내 인생의 해답〉

굳이 싫지 않다면

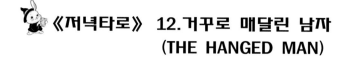 《저녁타로》 12.거꾸로 매달린 남자
(THE HANGED MAN)

키워드 및 의미

- **현실적 정체 상황**이 유지됨. 이러지도 저러지도 못함.
- **와신상담**(臥薪嘗膽)
- 계속되는 윤회의 한 과정.
- **깨달음**을 얻기위한 집중의 과정
- **정신적 성숙**. 나를 드러내지 않고 주변사람, 상황에 맞추는 성격.

아침의 '5.교황카드'와 저녁의 '12.거꾸로 매달린 남자'와 부분적으로 일맥상통(一脈相通)하는 것이 있는 것 같다. 신중한, 지속성, 외유내강, 깨닮음을 갖기 위한 인내, 선택 등 의미가 겹치는 부분이 있다고 해석된다. 또한 〈내 인생의 해답〉에서도 '굳이 싫지 않다면'이라는 문장과도 뜻이 통하는 부분이 있다.

해석(解釋)을 하자면 '굳이 싫지 않다면' 정신적 성숙을 얻기 위한 인내의 과정이라고 볼 수 있겠다.

아무튼 정신적 성숙은 그냥 이루어지는 것은 아닌 것 같다.

With PAPAGO
굳이 싫지 않다면.
If you don't hate it.

☾ 타로카드는 우리의 꿈과 현실을 연결시켜주는 다리입니다.

2024년 3월 21일 목요일

TAROT CARD	
아침 타로	저녁 타로
12.거꾸로 매달린 남자	펜타클 8

 ## 《아침타로》 12.거꾸로 매달린 남자
(THE HANGED MAN)

키워드 및 의미

- **매달음**- 집중과정(힘든 현실 상징)

- 깨달음을 얻으면 큰 완성을 이룰 수 있음(자신을 담금질)

- **정체**라는 중요한 의미를 지니며 힘든 시기를 경험하고 있는 모습

• 인내, 희생, 깊이있는 깨달음, 에고(욕망)의 약화

오늘 하루 - 탁구게임 후 회원과 점심

오늘은 레슨(Lesson) 없이 회원들끼리 연습 및 게임을 하는 날이다. 그래서 그런지 화요일보다는 조금 자유로운 느낌이 든다. 복식 게임을 2시간 정도 재미있게 치고 나니 12시가 훌쩍 넘었다. 몇몇 남은 회원들이 점심 식사를 같이하자고 하여 샤브샤브 식당에 가서 식사하고 후식으로 근처 Coffee Shop에 가서 커피와 차를 주문하고 기다리는데 특이하게도 '붕어빵'이 나와서 차를 시키면 같이 나오는 것으로 알았으나 그게 아니고 회원 중에 한 분이, 우리 회원중 연세가 가장 많으시고 커피를 못드셔서 일부러 이것을 시키셨다고 하셨다. 커피를 본래 못 드시기 때문이라 한다. 희안하게도 붕어빵이 단독메뉴인 것이다. 이제는 커피숍도 퓨전으로 가는 것 같다. 참 특이한 메뉴를 이곳에서 보았다. 그분 말에 의하면 서울에서는 붕어빵이 3마리가 메뉴로 나온다고 한다. 이곳은 1마리(1,400원)만 나왔다. 커피숍도 점점 이런 추세로 가는 것 같다.

이야기를 나눈 것 중에서 4월 달에 우리회원들끼리 편을 짜서 탁구 시합을 하자는 내용이 주를 이루었다. 그래서 이곳에 모인 분들은 모두가 동의했다. 나머지 분들에게 전달하여 그런 방향으로 의견을 추진할 것 같다. 아무튼 모임이 활성화되는 것은 좋은 방향이라고 생각든다.

《저녁타로》 펜타클 8

키워드 및 의미

- 자신의 힘으로만 상황을 이겨내려한다.
- **꾸준한 노력과 인내, 꾸준함.**
- **자신의 역할에 충실**하기 때문에 물질적 가치가 저절로 따라 온다.
- **꾸준한 성과**가 있다.

교훈(오늘)· 통찰(내일)

집중과정(담금질)을 통한 깨달음, 그리고 인내하는 오늘 이 예상되고 자신의 역할에 충실하고 스스로의 힘으로 상황을 이겨내어 꾸준한 성과가 있을 것이라는 해석이 되고 〈내 인생의 해답〉 '그것이 당신에게 얼마나 중요한지 누군가에게 말해라' 라는 문장 또한 이 카드들 '12. 거꾸로 매달린 남자', '펜타클 8'과 일맥상통(一脈相通)하는 면(面)이 있다고 생각된다.

with PAPAGO
그것이 당신에게 얼마나 중요한지 누군가에게 말해라.
Tell someone how important it is to you

☾ 타로카드는 우리의 꿈과 현실을 연결시켜주는 다리입니다.

2024년 3월 22일 금요일

TAROT CARD	
아침 타로	저녁 타로
검 9	펜타클 에이스

 ## 《아침타로》 검 9

키워드 및 의미

- 이미 짜여져 돌아가는 **운명의 굴레** 앞에 인간의 이성은 무기력하다.
- 마음의 여유가 상실됨
- **불필요한 생각들, 근심, 걱정, 스트레스, 지속적인 압박**

- 대부분 상상을 통해 **일어나지 않는 일에 대한 고민**
- 실제로 하지 않아도 될 생각까지 하게 되는 경우

에너지 · 초점

타로카드 '검 9'와 〈내 인생의 해답〉에서 나온 문장을 볼 때 쓸 때 없이 스스로의 불안감을 자초하지 말고 마음의 여유를 갖고 오늘에 최선을 다하라는 것으로 해석된다.

오늘 하루 - 전 동료들과 함께

상동에 있는 돈통마늘보쌈. 김,윤,장 세사람이 만나 콩솥밥과 보쌈을 마있게 점심으로 먹었다. 그후 상동 호수 공원을 외곽쪽과 안쪽을 충분히 산책을 하고 그 안에 있는 수피아 식물관을 관람하였다. 나는 65세 이상이라 무료입장권을 발급받아 관람을 하였다. 그 식물관 안에 있는 Cafe에서 Coffee한잔을 충분히 분위기를 즐기며 맛있게 마셨다. 이야기를 나눈 중에서 가장 기억에 남는 것은 '일과성 기억상실'이다. 뇌속에 있는 해마에 일시적으로 반점이 나타나 기억을 하지 못하는 상황을 말한다. 이것을 알기위해선 MRI, MRA를 찍어야한다고 한다. MRI는 자기공명영상으로 주로 알츠하이머를 발견하기 위한 것으로 뇌전체를 찍는 것이고, MRA 는 자기공명 혈관 조영술로 주로 혈관성 치매를 알기 위해 뇌혈관을 촬영하는 것이다. 동료 중 한사람이 일시적으로 '일과성 기억상실'이 약 4시간 동안 와서 그 동안에 있었던 일들을 전혀 기억을 못하는 것이다. 그래서 모든 약속을 취소했다는 이야기이다. 나에게는 매우 충격적이었다. 그래서 이 병명을 NAVER에서 찾아보니 과도하게 음주를 하거나 특정 약물을 복용함으로 인하여 나타나는 현상이라고 한다. 이 동료의 경우는 운동 후 찬바람을 맞으며 걸어왔던 것이 원인으로 큰 온도 차이에 의한 것으로 추측된다고 한다. 진찰했던 의사 말로는 어느정도 시간이 흐르면 반점은 없어지고 원상태로 돌아간다고 함. 참으로 인간의 몸은 정말 알 수 없는 복잡함으로 구성되어 있는 것 같다. 아무튼 나이가 들어가니 주로 건강에 관한 이야기가 주를 이루는 것 같다. 건강이 최고다 !.

The Book of Answers 〈내 인생의 해답〉

" 고생할 만한 가치가 없다. "

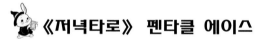 **《저녁타로》 펜타클 에이스**

키워드 및 의미

- 물질적인 부와 풍요를 약속하는 가능성 - **원석**
- 물질적 가치를 높이든 모습, 분명한 목표달성
- 삶의 목표를 현실에 두는 카드, **물질주의, 현실주의, 개인주의**

- 주어진 환경에 적응하며 이용한다. 현실적이지만 막혀있지 않다.
- **시작, 출발, 준비된, 풍요로운**

교훈(오늘)· 통찰(내일)

모든 것을 종합해볼 때 불필요한 생각, 일어나지 않은 일들까지의 고민 등등 자신에게 너무 부정적인 망상을 버리고 주어진 환경에 적응하며 새로 시작한다는 마음으로 하루하루를 최선을 다해서 지내라, 이런 뜻으로 해석된다. 또한 〈내 인생의 해답〉 '고생할 만한 가치가 없다' 라는 문구에서 보는 것과 같이 너무 불필요한 망상은 버리고 하루하루를 새로 시작하는 마음으로 최선을 다해 지내라는 표현으로 해석된다.

With PAPAGO
고생할 만한 가치가 없다.
It is not worth the trouble.

☾ **타로카드는 우리의 꿈과 현실을 연결시켜주는 다리입니다.**

2024년 3월 23일 토요일

TAROT CARD	
아침 타로	저녁 타로
검 9	9. 은둔자

 ## 《아침타로》 검 9

키워드 및 의미

- **마음의 여유가 상실**됨
- **불필요한 생각들, 근심, 걱정, 스트레스, 지속적인 압박**
- 대부분 상상을 통해 **일어나지 않는 일에 대한 고민**
- 실제로 하지 않아도 될 생각까지 하게 되는 경우

- **스스로의 불안함**을 합리적으로 다스릴 수 있어야 함

'검9' 카드가 연속으로 나오는 것으로 봐서는 괜히 스스로의 불안함, 불필요한 생각들을 많이 하는 것 같다. 생각을 해보니 카톡 상대편(그놈)이 반응하는 태도에 대하여 너무 쓸데없는 과도한 생각을 하는 것 같다. 마음의 여유를 가져야 할 것 같다.

The Book of Answers 〈내 인생의 해답〉

더 신중하게 귀를 기울여라,
그러면 알게될 것이다.

 《저녁타로》 9. 은둔자(THE HERMIT)

키워드 및 의미

- **탐구, 도달, 완성, 정신적-육체적 고립, 전문가, 지혜에 대한 깨달음.**
- 고독하고 외로우며 **자신만의 세상**에 지나치게 집중
- 그는 고립된 자신만의 세상에서 결코 외롭지 않음
- 특정 분야의 심오한 깊이를 파고드는 **전문가**

• **자신의 관심사에만 집중**한다.

오늘 하루 - 평범한 하루

지극히 평범한 하루였다.

교훈(오늘)· 통찰(내일)

 앞에서도 언급한 것과 같이 '검 9' 카드가 연속적으로 나온다는 것은 어떤 한 상황에 대하여 너무 과민하게 그리고 너무 쓸데없는 생각까지 많이 하는 것이라는 카드의 표현인 것 같다. 그래서인지 저녁에 픽(pick)한 타로카드는 이와는 정반대로 '9. 은둔자(隱遁者)' 카드가 나왔다. 이 카드의 해석은 자신의 관심사에만 집중한다. 자신만의 세상에 지나치게 집중한다. 그럼에도 불구하고 자신만의 세상에서 결코 외롭지 않다는 상징을 나타내는 카드이다. 이 카드와 <내 인생의 해답>에서 나온 문장의 의미의 공통점을 보면 너무 쓸데없는 망상은 지나치게 하지 말고 자신의 일에 매진하라는 뜻으로 해석된다.

With PAPAGO

더 신중하게 귀를 귀울여라,그러면 알게 될 것이다.

Listen more carefully, and you'll know.

2024년 3월 24일 일요일

TAROT CARD	
아침 타로	저녁 타로
 XIV TEMPERANCE	 X
14. 절제	컵 10

 ## 《아침타로》 14. 절제(TEMPERANCE)

키워드 및 의미

- **균형의 작업**이 필요하거나 이미 이런 상황에 놓여있다.
- **균형과 조화**를 통한 최적의 작업
- 물질과 정신의 조화, 개인과 집단의 조화, 내면과 외면의

조화

- **화합, 협동,** 경쟁-투쟁하지 않는, 개방적인
- **인내, 절제, 중도, 중용, 물질세계와 정신세계의 교류**

The Book of Answers 〈내 인생의 해답〉

" 그로 인해 멋진 일들이 일어날지도~ "

오늘 하루 - 사진 1Cut (국회의원 후보)

부천 중앙공원을 나가서 걷기 운동을 하던 도중 곧 4월10일 국회의원(國會議員) 총선거(總選擧)에 대비하여 미리 국회의원 후보가 나와서 거리인사를 하고 명함을 돌리고 있었는데 조금은 고생스러워 보였다. 올해는 오로지 더불어 민주당 의원들을 국회로 보내어 정말! 말도 안되게 정부(政府)를 운영하고 있는 윤석열 검사독재 정권의 조기 종식을, 또한 올해는 야권이 200석 이상이 되길 바라며, 더불어민주당 국회의원 후보와 내 기분도 전환할 겸 사진을 한 컷 찍었다. 본

의 아니게 내 옷도 파란색이어서 선거운동하는 일원으로 오해하기 딱 좋았다.

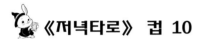 《저녁타로》 컵 10

키워드 및 의미

- 감정과 관계의 완성은 **가족**
- **마음의 평화와 행복, 조화로운 행복**
- 마음으로 느낄 수 있는 평화로운 가장 안정적인 카드
- **편안한, 서로 솔직한, 용서와 이해**

> **교훈**(오늘)· **통찰**(내일)

아침 타로카드는 '14. 절제' 카드가 픽(pick) 되었고, 저녁 타로카드는 '컵 10'이 뽑혔다. 〈내 인생의 해답〉에서는 '그로 인해 멋진 일들이 일어날지도'라는 문장이 나왔다. 나온 것들을 연결해보면 균형과 조화를 통한 최적의 작업인 컵10 마음의 평화와 행복이 있는 가족을 의미하고 그로 인하여 멋진 일들이 일어날 것이라 예상된다.

With PAPAGO
그로 인해 멋진 일들이 일어날지도
Maybe something cool will happen to him

2024년 3월 26일 화요일

TAROT CARD	
아침 타로	저녁 타로
펜타클 7	검 8

 ## 《아침타로》 펜타클 7

키워드 및 의미

- **현재 상황이 만족스럽지 않음**, 더 많은 것을 얻기 위한 시도
- 자신의 힘으로만 상황을 이겨내려 함.

내 힘만으로는 상황을 100% 통제할 수 없기 때문

• 바라는 것이 손에 들어오기를 기다리는 **기대와 욕심**

에너지 · 초점

'펜타클7'은 현재 상황이 만족스럽지 않음을 나타내는 카드, 〈내 인생의 해답〉의 문장은 '염려하지 마라' 이기 때문에 너무 욕심내지 말고 그대로 평상시와 같이 꾸준히 하면 염려할 것이 없다는 의미로 해석됨.

The Book of Answers 〈내 인생의 해답〉

염려하지 마라

오늘 하루 - 탁구레슨 & 게임

오늘도 예전과 같이 We've the states 2층에 있는 탁구장으로 가서 짧은 시간의 레슨(Lesson)과 단식, 복식 Game을 재미있게 하였다. 오늘 레슨은 커트성 서브에 대한 포핸드 드라이브로 리시브하여 다시 오는 볼의 처리와 다시 돌아오는 이 볼과 연계된 리시브로서의 스매싱을 배웠다. 즉 각각의 대응 방법들을 배웠다. 아주 흥미로웠다. 레슨이 끝나고 회원들과 단식을 쳤는데 내가 탁구라켓을 Shake Hands 로 바꾼 것이 벌써 9개월째가 되어간다. 이전보다는 다소 좋아졌지만 아직도 미흡한 점이 너무너무 많다. 어느 탁구 전문가의 말에 의하면 1년 정도는 탁구를 해야 어느정도 적응이 된다고 한다. 이번 6월이 되면 만 1년이 되는 달이다. 많은 기대를 해본다. 지금까지 한번도 탁구레슨을 받아본 적이 없었다. 탁구를 마치고 집에 돌아오는 길에 길거리 상가 앞에서 20대 여성이 전자 담배 피는 것을 보았는데 아직도 그 모습이 매우 눈에 거슬렸다. 왜 그런지 모르지만 괜히 거부감이 들었다. 내가 꼰대의 기질이 있는 건지 모르겠다. 아무튼 싫었다.

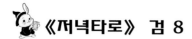 ## 《저녁타로》 검 8

키워드 및 의미

- 자신의 **생각이 만들어낸 속박**, 본인이 스스로에게 내린 **생각의 형벌**
- 새로운 생각이나 관점을 제시해 주는 것만으로도 상황이 해결됨.
- **제한된 사고, 반복되는 문제, 소극적인**
- **부정적인 생각에 사로잡힌 상태, 두려움, 자포자기**

자주 나오는 카드이다. 내가 너무 쓸데없는 생각을 많이 하는 것 같다. 생각을 단순하게 하고 너무 많은 생각을 하지 말자. 쓸데없는 생각의 망상을 버리자.

With PAPAGO
염려하지 마라
Don't worry

☾ 타로카드는 우리의 꿈과 현실을 연결시켜주는 다리입니다.

TAROT CARD	
아침 타로	**저녁 타로**
컵 6	펜타클 2

 《아침타로》 컵 6

키워드 및 의미

• **과거와 관련된 인물, 사건**을 마주함. 현재 새롭게 불러일으켜
  지는 감정은 없다.

• **순수한 마음**은 깨지기 쉽고 유지되기 어렵지만, 그 마음은

강력하여 마음이 향하는 대상은 그 마음에 영향을 받을 수밖에 없다.

- **집중된 마음**, 동등하지 않음, 조심스럽지만 집중력이 강하다.
- 과거의 기억이 어떤 형태로든 현재의 모습에 관여됨.
- 대부분 **현재 상황을 긍정적으로 해석**해야 하는 경우가 많음.

에너지 · 초점

컵6 카드와 〈내 인생의 해답〉 '상상력을 동원하라' 는 오늘 하루 조심스럽게 집중력을 가지고 상상력을 동원하여 과거와 관련된 것을 현재의 상황에 긍정적으로 해석하라는 뜻으로 읽혀진다.

The Book of Answers 〈내 인생의 해답〉

" 상상력을 동원하라 "

오늘 하루 - 신경전

오늘 하루 대부분은 상대편 카톡 그놈과의 신경전으로 하루를 보냈다.

《저녁타로》 펜타클 2

키워드 및 의미

- **균 형** : 주어진 상황이나 조건들은 계속해서 움직이며 이를 이탈하지 않게 계속 다루어야 함.
- **현상을 유지하기 위한 노력**이 계속해서 필요한 상황.
- 변화되는 상황과 현상을 온 힘을 다해 다룸
- 불안한 펜타클의 **순환적 관계**
- **집중하라 !** 빨리 마음을 정해야 할 필요성.

교훈(오늘)· 통찰(내일)

오늘은 주로 카톡의 상대편(그놈)과의 신경전을 벌였다. 오늘 나온 타로카드는 컵 6, 펜타클 2, 〈내 인생의 해답〉 '상상력을 동원하라' 라는 문장이 나왔다. 이 세 가지를 연결시켜 보면 오늘의 신경전 상황에서 옛 과거의 벌어진 일이 현재의 상황에 영향을 주기 때문에 현재 주어진 상황에 균형을 맞추기 위해선 상상력을 동원하여야 하는 상황이라고 해석된다. 상상력 동원이 절실히 필요한 때이다.

With PAPAGO
상상력을 동원하라
Use your imagination.

2024년 3월 29일 금요일

TAROT CARD	
아침 타로	저녁 타로
	KING of CUPS.
완드 4	컵 킹

《아침타로》 완드 4

키워드 및 의미

- **결실**이 이루어졌음. **완성된 상황.**
- 축하의 카드, 구체적인 **행동의 결과,** 재충전의 시기
- 에너지와 힘이 **자연스런 조화**를 이룸

• 격렬함과 부드러움의 조화, **협력, 협동.**

오늘은 결실을 이루는 하루이고 완성된 상황이라는 타로카드의 해석, 즉 구체적인 행동의 결과이어서 축하를 해줄만하다 그러나 너무 매너리즘에 빠져있지 말고 지금 상황을 재충전하는 시기로 잡으라는 의미로 해석된다. 아마도 어제의 그놈과의 신경전이 오늘의 결과를 낳은 것으로 본다. 또한 〈내 인생의 해답〉 '첫번째 방안은 피하도록'은 오늘과는 큰 관련성이 없을 것 같다.

The Book of Answers 〈내 인생의 해답〉

" 첫 번째 방안은 피하도록 "

오늘 하루 - 황사 및 황사 비

오늘은 황사가 너무 심해 대기오염 정보가 '450'이 넘어가고 비까지 약간씩 내려 온통 황사와 황사비가 온 대기를 가득 메웠다. 아무튼 여러가지로 주변 상황이 너무 안 좋아 하루 종일 집에서 머물렀다.

오늘은 황사가 너무 심하다. 그리고 황사비가 내렸다.

(The yellow dust is really bad today. and It rained yellow dust.)

《저녁타로》 컵 킹(KING of CUPS)

키워드 및 의미

- 감정에 대한 완벽한 통제와 지배권- **감정의 지배자**
- 사람의 마음을 가지고 놀 수 있는 능력이 있음.
  처세가 좋을 수 있음
- 겉으로는 자상한 모습이지만 현실적인 문제에 직면하면 자신의 권익을 무의식적으로 지키려는 모습
- **외면적으로 평화와 사랑, 내면적으로 세속적 권력 추구**

> **교훈**(오늘)· **통찰**(내일)

 저녁에 픽(pick)한 타로카드의 해석은 너무 감정에 휘둘리지 말고 현실은 현실대로 정확히 직시하라는 의미인 것 같다.

With PAPAGO
첫 번째 방안은 피하라.
To avoid the first option.

☾ **타로카드는 우리의 꿈과 현실을 연결시켜주는 다리입니다.**

2024년 3월 30일 토요일

TAROT CARD	
아침 타로	저녁 타로
 Ⅳ	 Ⅳ
컵 4	펜타클 4

 ## 《아침타로》 컵 4

키워드 및 의미

- **포만감**-새로운 자극이 없다는 것은 곧 어떠한 결핍이나 위험
  도 없다.
- 권태를 어떻게 다스릴지 잘 궁리해야 함

- **편안함, 익숙함, 오래된 관계, 반복적인**
- **무기력, 권태,** 희망을 보지 않는다. 내뜻대로 할 수 없는 것에 대한 불만

에너지 · 초점

포만감, 편안함, 반복적인 것에 익숙해져 있어 새로운 것에 대한 희망을 보지 않으므로 이런 권태를 어떻게 다스려야 할지를 잘 정리해야 함. 그러나 고생할 만한 가치가 없으면 이대로 포만감을 느낄 수도 있음.

☜ 필요한 에너지, 집중

The Book of Answers 〈내 인생의 해답〉

고생할 만한 가치가 없다.

오늘 하루 - 허전함, 우울함

오늘은 괜히 마음이 허전하고 우울했다. 그래서 부천중앙공원쪽으로 가서 간단한 도보 운동을 해야겠다 마음먹었으나 방향은 맞는데 그쪽으로 조금 지나가서 만수(萬守)라는 중국집이 생각나서, 또 점심때도 되고 해서 간짜장이 먹고 싶은 생각이나서 그것을 주문하여 맛있게 먹고 집으로 왔다. 집에

와서 큰딸과 몇 마디 대화를 나누었더니 어두웠던 마음이 조금은 괜찮아졌다.

총선이 며칠 안남아서인지 아파트 각 호수마다 우편함에 총선 관련 우편물들이 꽉 차 있었다. 집에 들어와 우편물을 뜯어 관심있는 당과 사람들을 살펴보았다. 갑자기 조금 전의 생각이 머리를 스치고 지나갔다. 우리 지역구에는 설훈이라는 후보가 있는데 민주당을 탈당해서인지 자식들과 배우자 모두가 나와 선거유세를 하고 있었다. 분명히 당선이 안될 것을 알텐데... 그리고 탈당을 해서인지 전에는 모두 나와서 선거운동을 하는 것을 보지 못했다. '안됐다' 하는 나의 순진한 생각이 머리를 스쳐 지나갔다.

《아침타로》 펜타클 4

키워드 및 의미

- **소유, 인색, 집착**(자신의 소유에 국한),
- 물질적 **부(富)에 대한 집착**
- 나의 영역과 소유를 확실하게 지키고 유지함
- **방어적인, 보수적인, 통제, 제어, 소유**
- 이미 가지고 있는 것을 절대 내어놓지 않겠다는 집착

에너지 · 초점

카톡 상대방(그놈)에 대하여 우리 것의 소유를 지키려고 하는 마음이 표현된 것이 아닌가 하는 해석이 됨.

with PAPAGO
고생할 만한 가치가 없다.
It's not worth the trouble.

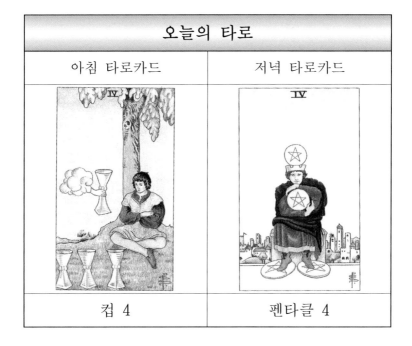

오늘의 타로	
아침 타로카드	저녁 타로카드
컵 4	펜타클 4

☾ 타로카드는 우리의 꿈과 현실을 연결시켜주는 다리입니다.

2024년 3월 31일 일요일

TAROT CARD	
아침 타로	저녁 타로
 XIV TEMPERANCE.	 KNIGHT of SWORDS.
16. 절제	검 기사

 ## 《아침타로》 16. 절제 TEMPERANCE

키워드 및 의미

- **균형과 조화**를 통한 최적의 작업. **절제, 혼합, 조합,** 섞어냄.
- **전체와 조화**를 이루고 보조를 맞추는 것.
- 물질과 정신, 개인과 집단, **내면과 외면의 조화**
- 한번 시작되면 끝을 내지 못한다는 부분에서 항상 신중하고

시험해보라.

'16.절제' 카드와 〈내 인생의 해답〉 '꼼꼼하게 살피도록'
이라는 문장과 일맥상통하는 면이 있다. 두 개 모두가 항상
신중하고 균형과 조화를 통한 절제를 요구하는 의미이다.

The Book of Answers 〈내 인생의 해답〉

꼼꼼하게 살펴라

오늘 하루 - 보통 하루

아파트 주변을 산책하러 나가 보니 총선(總選)이 며칠 안
남아서 그런지 각 당의 선거 운동원들이 매우 분주하게 움
직이고 유세차도 요란하게 스피커를 틀어놓으며 선거유세를
하고 있었다. 아무튼 국회의원(國會議員) 선거 날이 점점 다
가오는 것 같다. 밖의 날씨가 제법 포근하고 집 안에서는 다
소 차가운 기운이 느껴지는 것 같았다. 나는 종교도 없고 아
무것도 안 믿지만 지인들로부터 카카오톡으로 부활절이라
예수님 탄생을 축하하는 메시지들이 온다.

《저녁타로》검기사 (KNIGHT of SWORDS)

키워드 및 의미

- **명백한 자기확신**, 결정과 판단이 빠르다. 합리적이다.
- 이성적이고 **생각의 방향이 뚜렷**하다
- 좋게는 영웅심과 의리의 상징, 안 좋았을 때는 무모한 인물의 대명사
- **직접나서서 해결**하며 뒤로 빼지 않는다.

교훈(오늘)· 통찰(내일)

저녁 타로카드(검기사)는 앞의 것들과 달리 전혀 다른 방향의 카드가 나온 것 같다. 꼼꼼하게 살피되 추진력있게 밀고 가라는 뜻인 것 같다.

With PAPAGO
꼼꼼하게 살피도록.
Take a close look.

하루읽기

4월

☾ 타로카드는 우리의 내면과 외면의 세계를 조화롭게
이어줍니다.

- 리사 리처드슨 -

2024년 4월 2일 화요일

TAROT CARD

아침 타로	저녁 타로
컵 2	21. 세계

 ## 《아침타로》 컵 2

키워드 및 의미

- **약속과 계약, 합의와 거래,** 비즈니스상 문서화된 계약.

- **협업**으로 새로운 컨텐츠 창출.

- 서로 깊이 감정을 교류하면서 **합일**을 이룸

- **정서적 통합**-아름다운 결과

119

 오늘의 해석은 서로 깊이 감정을 교류하여 합일을 이루므로 수고할 만한 가치가 있고 아름다운 결과를 창출할 것이다. 라는 의미인 것 같다.

The Book of Answers ＜내 인생의 해답＞

수고할 만한 가치가 있다.

오늘 하루 - 치과 치료

오늘은 We've THE STATE로 탁구 치러 가는 날이다. 탁구를 2시간 정도 치고 갈 준비를 하는데 먼저 탁구장을 나간 회원들의 카톡이 와서 나가 보니 몇몇 회원들이 점심식사를 같이 하자고 하여 동참하였다. 메뉴는 쭈꾸미 정식이었다. 이(齒)의 상태가 별로 좋지 않아서 아프지 않은 쪽으로 음식을 씹느라 고생했다. 식사를 마치고 집에 들러 양치질을 하고 치과로 가려 하니 카드를 집사람이 가지고 있어서 집사람이 친구와 만나고 있는 장소까지 가서 카드를 받고 치과로 갔다. 의사 선생님께서 잇몸이 많이 안 좋다고 하며 오늘은 스케일링만 하고 다음에 잇몸치료를 받아보고 그래도 상태가 안 좋으면 이를 뽑고 임플란트를 하자고 하였다. 임플란트 란 말을 들으면 예전에 서울 강남에서 임플란트를 한다고 했다가 잇몸이 뚫려서 고생을 한적이 있어서 ‘임플란트' 란 이야기만 나오면 머리가 혼란스러워진다. 일주일 후에 잇몸치료 예약을 오전 시간으로 하였다. 아무튼 걱정스럽다. 잘되어야 할텐데... 점점 나이가 들수록 이곳 저곳이 지속적으로 노화되어 가고 있는 것 같다. 인간(人間)이라는 옷도 점점 수명이 다 되어가는 것 같다.

〈 삶 〉

삶이란

어떤 의지로
이세상에 와서

갖은 여러 가지 모습으로
옷을 갈아 입고

모든 존재함과
시절 인연을 맺으니

시간과 공간의 흐름속에
희로애락을 분별하여

온 몸으로 맞이함이다.

우재 윤필수

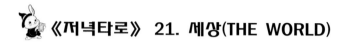 **《저녁타로》 21. 세상(THE WORLD)**

키워드 및 의미

- **완전함**의 실현, 천상의 영역이 지상과 일체화
- 상태의 고착, 매너리즘, 한계, 안정, 충분한, **완성, 일상적인**
- **완벽한 세상**, 결과에 대하여 만족함
- **테르타 모르파**-4원소의 통합

교훈(오늘)· **통찰**(내일)

'21.세상' 카드, ＜내 인생의 해답＞에서 보여주는 것과 같이 일상생활(日常生活)에 충실하고 고생할 만한 가치가 있는 일상적인 세상살이를 충실히 하라는 의미인 것 같다.

With PAPAGO
수고할 만한 가치가 있다.
It is worth the trouble.

☾ **타로카드는 우리의 내면과 외면의 세계를 조화롭게 이어줍니다.**

2024년 4월 3일 수요일

TAROT CARD	
아침 타로	저녁 타로
ACE of SWORDS	IV
검 에이스	컵 4

 ## 《아침타로》 검 에이스(ACE of SWORDS)

키워드 및 의미

- **명료함, 객관적인, 확실한, 확신과 신념**(생각이 분명하다)
- **승리**, 행동에 옮기기 위한 모든 생각을 마침
- 왜곡, 거짓, 은폐없이 **온전히 보이는 힘**이 **지성**이며, 보이는 것이 **진리**이다.

• **판단과 결정**이 이미 내려졌을 가능성이 높으며 그에 따라 승리나 패배의 결과를 받아들게 될 것이다.

'검에이스', '실행에 옮기면 좋아질 것이다.' 〈내 인생의 해답〉. 판단과 결정이 이미 내려졌을 가능성이 높다고 확신하며 실행에 옮기면 좋아질 것이라는 의미로 해석되어 진다.
타로카드와 〈내 인생의 해답〉과 한번 연계성 있게 해석을 해 보았다.

The Book of Answers 〈내 인생의 해답〉

" 실행에 옮기면 좋아질 것이다."

오늘 하루 - 평범한 하루

오늘도 감사하게 무사한 일상생활의 시간들이 흘러갔다.
평범(平凡)한 일상(日常)의 시간에 감사한다.

《저녁타로》 컵 4

키워드 및 의미

• **불만족, 포만감, 무기력과 권태, 편안함, 익숙함, 반복적인**

- **익숙하고 편안한** 감정관계, 상태에 집중함.
- 익숙하고 편안한 것에 집중하고 거기에 빠져있다.

교훈(오늘)· 통찰(내일)

'컵4'의 상징성으로 가장 대표적인 것이 '무기력(無氣力)과 권태(倦怠)'이다. 이러한 상황에 그대로 빠져있는 것이 좋아 보이지 않으며 이러한 상황에서 빠져나와 새로운 행동으로 옮기면 좋아질 것이라는 〈내 인생의 해답〉에 조금 더 나의 의견(意見)을 접근시켜 본다.

With PAPAGO
실행에 옮기면 좋아질 것이다.
You'll get better when you put it into practice.

☾ **타로카드는 우리의 내면과 외면의 세계를 조화롭게 이어줍니다.**

2024년 4월 4일 목요일

TAROT CARD	
아침 타로	저녁 타로
완드 2	펜타클 5

《아침타로》 완드 2

키워드 및 의미

- **행동의 확장**, 정서적 통합
- 관계 맺기의 시작, 앞으로의 **전망, 계획**
- **새로운 도전**, 확장, 성장을 위한 의지와 열정.
- 앞으로에 대해 생각만을 하는 중.

126

• 열정이 안정화, 현실화되었다는 것,

The Book of Answers 〈내 인생의 해답〉

" 시간 낭비하지 마라"

에너지 · 초점

앞으로의 전망, 계획에 대하여 앞으로에 대한 생각을 너무 오래하지 말고 시간(時間)을 낭비(浪費)하지 말아라. 어느 정도 생각이 성립되었으면 실행(實行)으로 옮기는 것이 더 나을 것 같다는 의미로 해석된다.

오늘 하루 – 평범한 하루

오늘도 마찬가지로 보통 하던 대로 탁구를 치고와서 일상적인 생활을 하는 감사하는 하루였다. 무탈한 평범한 일상에 감사(感謝)하는 하루였다.

《저녁타로》 펜타클 5

키워드 및 의미

• **물질적인 빈곤과 궁핍**, 현실적으로 힘든 상황 유지
• 결과가 나지 않고 주변상황이나 환경의 **도움을 받지 못함**

- 현재의 상황은 **어려운 현실** 속에서 유지되고 있는 관계
- 당장의 상황은 좋지 못할 가능성이 높다.

교훈(오늘)· 통찰(내일)

전체적으로 살펴보면 주변(周邊)환경이나 환경(環境)에 도움을 받지 못하므로 새로운 도전, 행동의 확장을 하지 말고, 또 그런데 시간 낭비(浪費)를 하지 말라는 전반적인 해석이다. 그런데 오늘은 정말 평범한 일상생활의 연속 그 연장선에 있기 때문에 특별히 연계성이 없는 것 같다. 굳이 해석의 연계성을 찾는다면 카톡상대편(그놈)의 상황을 말해주고 있는 것은 아닌지 하는 한 생각이 든다.

with PAPAGO
시간 낭비 하지 마라.
Don't waste your time.

☾ **타로카드는 우리의 내면과 외면의 세계를 조화롭게 이어줍니다.**

2024년 4월 5일 금요일

TAROT CARD	
아침 타로	저녁 타로
V 컵 5	VII THE CHARIOT. 7.전차

 ## 《아침타로》 컵 5

키워드 및 의미

- **절망감, 상실감, 우울함.**
- **실망, 외부와의 차단,**
- 관계가 무너졌음, 실망이 현실화 됨
- 현재의 상황에 실망하고 있으며, **현실(現實)을 철저히 외면**하

고 있다.

The Book of Answers ⟨내 인생의 해답⟩

그것이 당신에게 얼마나 중요한지
누군가에게 말하라

오늘 하루 - 사전투표(事前投票)

아침식사를 하고 차를 가지고 집사람과 함께 사전투표 장소로 가서 투표(投票)를 했다. 체육관이라 그런지, 사전투표일인 오늘이 평일이라 그런지, 평일 오전이라 그런지 사람들이 그렇게 많이 있지 않아서 체육관 안이 조금은 썰렁하였다. 각 지역별로 여러 줄로 나누어 놓은 것 같았다. 나는 줄을 서서 기다리다 내 순서가 와서 주민등록증을 제시하여 그 투표종사원에게 제시하니 내 주민등록증을 스캔하더니 '동(洞)'이 틀리다고 즉시 나에게 말을 하면서 다른 줄로 가라고 했다. 그런데 그 주변에서 관리하시는 분이 맞다고 하여 다시 내 주민등록증을 스캔하니 제대로 스캔이 되었다. 맞은 것이다. 기분이 좀 상했다. 어떻게 투표 종사요원이 딱 한번 스캔하고 아니라고 말을 할 수 있는지 정말 신중하지 못한 가벼운 행동에 작은 분노가 올라왔다. 투표용지는 1인당 지역구 투표 용지 1장, 보궐 투표 용지1장, 비례 투표용지 1장 이렇게 합의 3장이었다. 투표를 무사히 마치고 집으로 돌아왔다. 오늘과 내일은 사전투표를 하는 날이다. 2014년 지방투표로 사전투표가 처음 시작했다. 참 편리하고 좋은 제도라고 생각한다.

《저녁타로》 7. 전차(THE CHARIOT)

키워드 및 의미
- **강하고 능력있는** 젊은 남성의 모습, 승리뿐.
- **목표에 집중**하는 모습이며 야망이 차고 넘친다
- **자신감, 관단성, 과감함, 빠른진행**, 자만을 조심
- 결속을 위한 노력이 필요하다.

교훈(오늘)· 통찰(내일)

 종합하여 생각해 보면, 오늘 하루는 카톡대상자(그놈)에 대한 생각으로 머리가 꽉 차 있었던 것 같다. 그래서 〈내 인생의 해답〉에서 나온 문장 "그것이 당신에게 얼마나 중요한지 누군가에게 말하라"를 기억하고 카톡 대상자에게 다시 한번 상기시키는 의미로 해석되어 카톡문장을 여러개 보냈다. 이것에 대한 결과는 어떨지 모르겠다. 이문장의 뜻처럼 될 수 있을는지...

With PAPAGO
그것이 당신에게 얼마나 중요한지 누군가에게 말하라
Tell someone how important it is to you.

2024년 4월 6일 토요일

TAROT CARD	
아침 타로	저녁 타로
컵 2	완드 10

 ## 《아침타로》 컵 2

키워드 및 의미

- 연애나 사랑의 **약속**, **협업**으로 새로운 컨텐츠 창출
- 두 사람의 **마음의 일치**
- 감정의 교류 활발, **합일**을 이룸
- 두 마음이 **정서적 통합**

The Book of Answers ⟨내 인생의 해답⟩

기다리지 마라

에너지 · 초점

'컵2',⟨인생의 해답⟩ "기다리지 마라"의 의미는 기다리지 말고 감정의 교류를 활발히 하여 합일, 마음의 일치를 이루라는 의미로 해석된다. 오늘 무슨 일이 상황이 일어날지 궁금하다.

오늘 하루 – 결혼식 (청담동)

오늘은 오래된 우리 모임의 회원 아들 결혼식이 서울 청담동에서 있었다. 송도쪽에 사는 회원중 한분이 같이 가자고 하여 부천에서 만나 같이 가기로 하였다. 다행히 7호선 전철을 한번만 타면 되어서 조금은 용이한 교통편이었다. 물론 서울에서 올 때도 마찬가지이었다. 식장에 가서 회원과 아들을 만나고 인증샷 한 컷을 촬영하고 식사를 급히하고 결혼식을 참관하였다. 식장이 특히하게 공간 전체가 도움형식으로 되어있었고 가운데는 신랑,신부가 지나가는 길이 있고 그 주변 양쪽이 약 1.5m 정도 아래로 움푹 파져서 그 안에 축하객들이 앉아서 볼 수 있게 되어있었다. 하객들은 도움형식으로 되어있는 것이 신랑, 신부를 집중할 수 있어서 좋았다고 하는데 나는 그냥 그랬다. 물론 돔(Dome)형식으로 되어있는 천장과 벽을 스크린(Screen)으로 이용을 하여 화면(畵面)으로 처리한 것은 독특했다. 그러나 나는 너무 어두웠고 또한 도움형식이라 토굴에 들어간 느낌이라서 그렇게 좋은 것만은 아니었다. 결혼식을 참관하는 내내 예전에 내가 결혼식을 하던 생각이 자꾸 떠올랐다. 그리고 그 순간 내가 벌써 2세들이 결혼을 할 나이가 되었다는 생각에 그저 세월의 빠른 흐름으로 현재까지 이름에 어쩔 수 없음을 느낄 수 밖에 없었다. 참 지나고 보면 과정없이 지금에 존재하는 것같이 느껴진다. 정말 세월은 빠르게 지나간 것처럼 느껴진다.

교훈(오늘)· 통찰(내일)

종합해 볼 때 '컵2' 가 그나마 오늘 결혼식과 연계가 되는 것 같다. '컵2' 는 사랑의 약속, 두 사람의 마음의 일치 등 오늘 결혼식과 연결시켜 보면 회원의 아들이 그의 배우자와 둘의 영원한 동행을 약속한 것이고, '컵2' 의 그림도 결혼식과 비슷한 분위기를 보여주는 것 같다. '컵2' 는 오늘 내가 결혼식에 참석한다는 것을 미리 암시한 것 같다. 또한 결혼식장까지 의견이 일치하여 회원과 같이 간 것도 약간의 관련성이 있지 않을까 하는 나의 생각이다.

 《저녁타로》 완드 10

키워드 및 의미

• **고생, 매우 힘든 상태**(스스로 짊어짐), 강직한 신념
• 주어진 일에 **최선을 다한다**, 모든 일에 주도적 적극적

- 항상 **온 힘을 쏟는다.** 어떤 상황이든 열심히 한다
- **남에게 못 맡기는,** 모든 것에 신경 씀, **여유가 없는**

교훈(오늘)· 통찰(내일)

〈내 인생의 해답〉'기다리지 마라'와 '완드10'의 의미를 해석하면, 이것은 카톡 상대편(그놈)에 대한 현재 상황이나 상태를 말해주는 것 같다. 카톡 상대편의 상황 자체가 여유롭지 않고 매우 힘든 상태를 의미하는 것 같다. 그럼에도 불구하고 '기다리지 말라'는 문장이 의미가 있는 것 같다. 기다리지 말고 지속적으로 내 의견을 카톡하라는 충고인 것 같다. 어떻게 타로카드는 그렇게 내 마음 속을 읽어 내가 뽑고, 내가 그 문장이 나오게 펼칠 수 있게 하는 것인지 신기하기만 하다.

With PAPAGO
기다리지 마라.
Don't wait.

☪ **타로카드는 우리의 내면과 외면의 세계를 조화롭게 이어줍니다.**

TAROT CARD	
아침 타로	저녁 타로
![Wheel of Fortune] WHEEL of FORTUNE.	![Wands 9]
10.운명의 수레바퀴	완드 9

 《아침타로》

10.운명의 수레바퀴 (WHEEL of FORTUNE)

키워드 및 의미

- 인간이 거스를 수 없는 **거대한 순환의 흐름**
- 개인이 어찌할 수 없는 큰 변화, **흐름의 변화와 순환**

• **운**은 모든 **만물을 움직이는 힘**, 끊임없이 변화하며 흥망성쇠를 일으킨다 (주변 카드의 영향을 받음)

• 상황이 중요한 **전환점**에 와 있다.

❀ 참고 ❀

	원 소	상 징	의 미	성 경
천 사	공기	검	예수의 탄생	마태복음
독수리	물	컵	예수의 승천	요한복음
사 자	불	완드	예수의 부활	누가복음
황 소	흙	펜타클	예수의 죽음	마가복음

에너지 · 초점

'10.운명의 수레바퀴', '실행에 옮기면 좋아질 것이다'
이 두 개를 놓고 볼 때 인생은 길(吉), 흉(凶), 화(禍), 복(福) 이 순환되는 것이니 살아온 경험을 바탕으로 또 살아가면서 매 상황마다 최선을 다하여 살아야 된다 라는 뜻이라 해석된다. 아울러 오늘의 모임 회원의 아들 결혼식도 거대한 순환의 흐름 속에서 개인 어찌할 수 없는 변화 속에 포함되어 있는 것으로 해석된다.

The Book of Answers ⟨내 인생의 해답⟩

실행에 옮기면 좋아질 것이다.

오늘 하루 - 결혼식 (삼성동)

오늘도 어제와 마찬가지로 서울 삼성동 결혼식장에 갔다. 오늘은 특별히 같이 가자는 사람들이 없어서 혼자 전철을 타고 갔다. 우리 모임 회원의 둘째 아들의 결혼식 이었다. 우리 모임에서도 회원들이 참석을 했다. 또한 나한테 책 쓰기를 권했던 작가 한 분도 오셨다. 그래서 결혼하는 아들과 그 부모들과 몇몇이 사진을 찍었다. 아울러 그곳에서 디카로 기념촬영을 해주는 것이 있어서 거기에도 한 컷 첨부했다. 그리고 신랑에게 보내는 축하 카드로 몇자 적어주었다. 손님들이 많이 오신 것 같다. 그래서인지 우리 모임 인원들은 식장에 마련된 테이블이 모자라 옆에 따로 마련된 Room에서 식사를 하며 결혼식을 스크린에 나오는 영상으로 지켜보았다. 결혼식을 마치고 지인과 함께 내가 미리 가려고 하던 삼성동에 있는 마이 아트 뮤지움에 가서 스웨덴 국립미술관 컬렉션 '새벽부터 황혼까지' 라는 전시회를 둘러보고 몇 가지 물건들, 안경닦이(유명 그림이 그려진), 책갈피(유명그림이 인쇄된) 등을 구입하고 집으로 돌아왔다. 이 물건들은 그래도 가성비가 좋은 것 같았다. 그림도 여러 가지 이고 그렇게 비싸지도 않았기 때문이다. 좋았다. 오늘도 이렇게 해서 하루가 지나갔다.

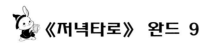 **《저녁타로》 완드 9**

키워드 및 의미

- 자신만의 일이 존재
- 중요한 **임무수행**, 방어
- **지켜내는데** 성공하는 굳건함.
- 의지를 유지하고 지킨다. 지속적으로 노력한다
- **방어적인, 지속적인, 하는 중인**(doing), **굳건함, 확고함**

교훈(오늘)· **통찰**(내일)

'완드9'가 저녁 타로카드로 뽑혔다. 오늘의 교훈, 반성 또는 내일에 대한 통찰이라는 관점으로 바라볼 때 앞의 것들과 연계하여 해석해 보면 여태까지 상황의 변화와 흐름 속에서도 잘지내어 지금까지 왔는데 소홀함이 없이 지속적으로 현 상황을 유지하고 노력하라는 뜻인 것 같다.

---

with PAPAGO
실행에 옮기면 좋아질 것이다.
You'll get better when you put it into practice

2024년 4월 8일 월요일

TAROT CARD	
아침 타로	**저녁 타로**
 IX 	 XV THE DEVIL.
컵 9	15.악마

 ## 《아침타로》 컵 9

키워드 및 의미

- **개인적인 성취와 달성**을 바랄 경우 매우 좋은 결과
- **개인적인 만족감, 진정한 만족감**, 만족스러운, 충분한, 게으름
- 현재의 상황과 관계에 만족한다
- **현재 상황을 기쁘게 받아들이는 것**이 행복의 조건 임을 깨달

은 카드 임

이 상황은 현재 상황과 관계를 기쁘게 받아들이고 만족하며 행복함을 깨달으라는 의미인 것 같다.

오늘 하루 – 평범한 하루

다른 날과 같이 평범한, 무탈한, 감사한 하루였다.

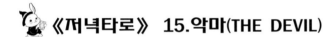 《저녁타로》 15.악마(THE DEVIL)

키워드 및 의미

- 쾌락이 주는 **당장의 편안함**에 파멸을 완벽하게 잊고 있는 모습
- **스스로 묶은 상태**, 묶인 것을 알지만 빠져나올 생각이 없다
- 여러 요소를 고려하지 않고 **하나에 빠져** 다른 가치들을 하나로 환원한다. 계약, 약속, 구속을 중시함
- **욕망의 충족**을 위해 수단과 방법을 가리지 않음, 욕망의 함정

The Book of Answers ⟨내 인생의 해답⟩
절대로

교훈(오늘)· **통찰**(내일)

다른 것들과는 연계성이 없는 것 같고, 잘은 모르겠으나 카톡 상대편(그놈)의 현재 상태에 대한 해석 같기도 하며, 당장의 편안함에 욕심을 부리지 말고 꾸준한 노력으로 현 상태에서 빠져나오라는 충고인 것 같다. 카톡 상대편(그놈)에 대한 충고인 것 같다.

With PAPAGO
절대로
Absolutely

☾ **타로카드는 우리의 내면과 외면의 세계를 조화롭게 이어줍니다.**

2024년 4월 9일 화요일

TAROT CARD	
아침 타로	저녁 타로
완드 2	19. 태양

《아침타로》 완드 2

키워드 및 의미

- 앞으로의 **전망이나 계획**
- 앞으로에 대한 생각을 하는 것일 뿐 그에 따른 행동을 하고 있는 시점은 아님
- **새로운 도전, 확장, 성장**을 위한 의지와 열정을 보여줌

143

• 행동의 확장

The Book of Answers <내 인생의 해답>
답은 다른 모습으로 나타날지도.

오늘 하루 – 성공한 하루

평범하고, 조용한 하루를 보내고 있는 도중 내 머리 속은 딸의 회사 이직 취업이 어떻게 될지, 전망은 어떨지, 앞으로에 대한 생각이 머리 속을 꽉 채우고 있었다. 꼭 잘되기를 두손 모아 기도한다.

에너지 · 초점

'완드2' 카드에서 보여주는 것처럼 새로운 도전, 앞으로의 전망이나 계획. 확장, 성장을 위한 의지와 열정 등으로 해석되듯이 오늘의 온통 에너지와 초점은 딸아이의 새로운 회사 이직에 관한 문제에 맞춰져 있었다.

《저녁타로》 19. 태양(THE SUN)

키워드 및 의미
• **완전한 완성, 만천하에 명백히 드러남**, 무엇이든지 가능한 상태

- 자신의 모습을 훤히 드러내고 **생명력**을 마음껏 내뿜음
- 솔직, 순수, 밝고 활기참, 자기중심적(타인을 이용하거나 피해를 주지 않음)
- **끝과 동시에 완성**이며 또 다른 시작의 마지막 단계
- 긍정을 유지하되 경거망동하지 말고 준비를 철저히

교훈(오늘)· 통찰(내일)

'19 태양' 카드는 모든 것이 확실히 드러나며 완전한 완성을 의미하며 긍정을 유지하되 준비를 철저히 하여 또 다른 새로운 출발이 성공적이길 바라는 것으로 해석된다. 그래서 그런지 오늘 딸아이의 새로운 회사 이직 취업에 성공했다는 통보를 받고 무거웠던 마음이 매우 가벼워졌다. 정말 타로카드는 신기하다.

그러한 여러 가지 사람의 마음을 우주의 기운으로 전달해 주는 것 같다. 아무튼 오늘은 오전에 '흐림', 오후에 '맑음'으로 하루 날씨가 끝난 셈이다. 하루 하루의 날씨가 매일 맑고 쾌청했으면 좋겠다.

---

with PAPAGO

답은 다른 모습으로 나타날지도.

**The answer
may come in a different way**

145

2024년 4월 10일 수요일

TAROT CARD	
아침 타로	**저녁 타로**
 검 3	 4. 황제

 ## 《아침타로》 검 3

키워드 및 의미

- 이성적 판단과 결정으로 인하여 **감정이 고통받는** 경우 →
  이 고통을 견뎌낼 수만 있으면 결국은 옳은 결과를 가져오거
  나 성숙해짐

- **좌절**, 자기객관화, 객관적 사실, 진리, **마음의 상처**

146

• **상처**를 주거나 받는다. 상처의 치유는 마음먹기에 달려있다.

에너지 · 초점

  마음의 상처를 받았으나 스스로 생각에 의한 상처이기 때문에 이성적 판단과 결정으로 인한 감정의 고통이기 때문에 마음을 잘 먹고 돌이킬 수 있으면 결국에는 옳은 결과를 가져오거나 성숙해질 수 있음. 또한 〈내 인생의 해답〉에서도 '실망하지 않을 것이다' 라는 문장이 나왔으므로 같은 맥락으로 해석이 된다. 특히 오늘이 국회의원 총 선거의 날이라 이런 카드가 나왔나 보다.

오늘 하루 – 국회의원 선거

  오늘은 국회의원(國會議員) 선거(選擧)날이다. 모든 국민들이 지역 및 비례 국회의원을 뽑는 날이다. 우리 식구 모두는 사전투표날 투표(投票)를 다하였다. 사전투표율은 31.3% 였다. 총선 역대 최고의 사전 투표율이라고 한다. 그래서 그런지 오늘 투표율에 관심이 많이 쓰인다. 그리고 야당의원들이 200석 이상을 차지할 수 있을지도 매우 궁금하고 개표(開票)가 많이 기다려진다.

The Book of Answers 〈내 인생의 해답〉
실망하지 않을 것이다.

《저녁타로》 4.황제(THE EMPEROR)

키워드 및 의미

- 현실에 대한 **통제력**
- **자기중심성, 적극성, 남성성, 자발성, 권위주의, 권력, 카리스마, 긴장의 지속**
- 실생활에서 지위나 책임과 관계되는 부분은 모두 긍정
- 〈금전〉 근심을 수반 할 수 있지만 대부분 해결된다.

교훈(오늘)· 통찰(내일)

약간의 걱정은 있을 수 있으나 사소한 것이고, 현실에 대한 통제력을 가지고 있으므로 스스로 대부분을 해결한다. 저녁 타로카드인 '4.황제'의 상징적 내용은 '현실에 대한 통제력, 카리스마' 등이 대표적인 것 같다. 총선(總選)에 대한 내용을 담고 있고, 카톡 상대편(그놈)에 대한 관계를 나타내는 것 같다. 그리고 〈내 인생의 해답〉과 연결시키면 '실망하지 않을 것이다.'는 가까운 미래에 대한 기대를 말하는 것이라 생각된다.

with PAPAGO
실망하지 않을 것이다.
You won't be disappointed

2024년 4월 11일 목요일

TAROT CARD	
아침 타로	저녁 타로
컵 10	완드 기사

《아침타로》 컵 10

키워드 및 의미

- **조화로운 행복**, 마음의 평화와 행복
- **감정과 관계의 완성** → 가족
- 편안한, 서로 솔직한, 용서와 이해

- **행복의 의미 전달,** 가장 근원적인 모습

  * 무지개 : 충실한 약속

The Book of Answers 〈내 인생의 해답〉

비밀로 간직해라

에너지 · 초점

조화로운 행복, 감정과 관계의 완성, 용서와 이해 이러한 것들을 모두 함축하는 것은 '가족'이라는 단어이다. 또한 '컵 10'이 나타내는 상징이기도 하다. 평화, 안정, 행복을 조용히 간직하고 가족이라는 단어와 의미를 다시 한번 생각해 보라는 뜻은 아닌지 하는 생각이 든다.

오늘 하루 - 예전 같은 하루

오늘도 정해진 대로 We've The State 2층 탁구장(卓球場)에 가서 회원들과 탁구게임을 했다. 물론 오늘은 레슨(Lesson)이 없는 날이라 홀가분한 마음으로 회원들과 복식 게임을 재미나게 즐겼다. 탁구는 참 재미있는 스포츠이며 몸에 좋은 운동인 것 같다. 열심히 탁구를 하고 집으로 돌아왔다. 그 외에는 특별한 것이 없는 평범한 하루의 시간이었다. 물론 탁구를 하러갈 때 신중동역 82계단을 꼭 걸어 올라간다. 그리고 탁구장으로 가는 시

간 25분, 집으로 오는 시간 25분 정도를 걷는다. 모두 운동이
되는 셈이다. 아무튼 감사한 하루이었다.

《저녁타로》 완드기사(KNIGHT of WANDS)

키워드 및 의미

- 열정적이지만 **성급한 속성**
- **충동적이고 전투적**이다. 마음먹으면 즉시 해야 한다
- 에너지가 넘치니 통제가 어렵다
- 결과가 없으며 **행동만 앞서는 인물**

교훈(오늘)· **통찰**(내일)

저녁타로 '완드기사'가 픽(pick)되었다. 의지와 열정을 가지
고 마음을 세우는 것은 좋으나 결과가 없는 행동일 수 있으니
너무 성급하거나 충동적이지는 말아야 한다는 의미인 것 같다.
항상 모든 일에 신중함을 이르는 의미인 것 같다.

With PAPAGO
비밀로 간직해라
Keep it a secret

2024년 4월 12일 금요일

TAROT CARD	
아침 타로	저녁 타로
 XVI THE TOWER.	 KNIGHT of WANDS.
16. 탑	완드 기사

 ## 《아침타로》 16.탑(THE TOWER)

키워드 및 의미

- 예상하지 못한 급작스럽고 격렬한 **충격**
- **각성(覺醒)의 순간, 획기적인 상황의 전환, 급격한 변화**
- 충격, 붕괴, **감췄던 것이 드러남**, 징벌, 경고

• 주변과 조화를 이루지 못하여 뜻대로 되지 않는다.

The Book of Answers ⟨내 인생의 해답⟩

동요가 일 것이다.

에너지 · 초점

'16.탑' 카드와 ⟨내 인생의 해답⟩ '동요가 일 것이다' 와는 어느 정도 일맥상통하는 의미를 내포하고 있는 것 같다.

예상치 못한 급격한 충격, 감춰두었던 것이 드러남, 경고 등이 함축하고 있는 공통적인 의미는 한마디로 '충격' 이라는 것 같다. 오늘 하루는 임팩트가 있는 날이 될 것 같다.

오늘 하루 - 치과 잇몸치료

지난번 스케일링을 하고 나서 예약을 했으나 아직도 잇몸이 아파서, 잇몸이 어느 정도 아물지가 않은 것 같아서 2번이나 미루어 오늘로 날짜를 잡았다. 집에서 도보로 약 20분 이상 걸어야 도달할 수 있는 거리에 위치한 치과이다. 물론 예전에도 주로 이 치과병원을 이용했다. 이 치과병원 앞에 붙여져 있는 슬로건은 '3대가 다니는 치과병원' 이라고 쓰여져 있다. 가는 도중 나의 잇몸에 대한 이런저런 생각으로 머릿속이 매우 복잡했다. 이번 잇몸치료가 잘 된다면 나에게는 매우 좋은 기회가 되는 것이지만 그렇지 않으면 발치를 하고 임플란트를 해야만 해야되기 때문에 너무 걱정이 된다. 예전에 지인 소개로 강남에 있는 치과병원에 가서 임플란트를 하려고 하다 실패를 해서 많은 시간 동안 고생한 적이 있어서였다. 그래서 임플란트 하면 매우 걱정이 된다. 특히 위쪽 치아쪽의 뼈가 얇아서 인공 뼈이식에도 어려울 것이라는 의사선생님의 말씀이 있은 이후로 더욱 걱정이 된다. 아무튼 오늘 잇몸치료가 잘 되어야 할텐데... 일단 병원에 도착하여 잇몸 마취를 하고 잇몸치료를 한 후 그 병원에서 치간칫솔을 구입했다. 의사선생님 말씀이 이번에는 이렇게 치료하고 상황이 더 나빠지면 임플란트를 해야한다고 하였다. 참 나이는 어쩔 수 없나 보다. 공연히 걱정이 머릿속을 꽉 채운다. 괜한 걱정일까!

《저녁타로》 완드기사(KNIGHT of WANDS)

키워드 및 의미

- 열정적이지만 성급한 속성, 순별력이 좋아 **임기응변에 능하다**
- 순간적인 에너지나 힘은 가장 강할 수 있다.
- **충동적이고 전투적**, 마음 먹으면 즉시 해야 한다
- 굉장히 **급한 상황**, 그 상황을 모면하기 위해 무리한 행동을 하는 경우 많이 출현한다

 아침의 타로카드 '16.탑' 과 〈내 인생의 해답〉 '동요가 일 것
이다' 가 의미하는 하루가 진행되었던 것 같다. 감춰졌던 것이
드러나는 충격인 날이었던 것 같다. 잇몸치료의 결과가 좋아야
할텐데... 그렇게 되기를 바랄 뿐이다. 또한 '완드기사' 가 가
지고 있는 의미 중에서 오늘과 부합되는 상징만 집어내면 '성
급한 속성' 에 중점적인 의미가 있는 것 같다. 너무 결과를 성
급하게 예단하지 말고 또한 너무 성급하게 앞서서 걱정하지도
말라는 의미인 것 같다. 모든 것을 그냥 시간에 맡겨라. 시간의
흐름에 맡겨라 !

with PAPAGO
동요가 일 것이다
There's going to be a stir

2024년 4월 13일 토요일

TAROT CARD	
아침 타로	저녁 타로
검 여왕	펜타클 4

《아침타로》검 여왕(QUEEN of SWORDS)

키워드 및 의미

- 감정을 억누르고 **합리적인 판단과 행동**을 택한다
- 자신의 생각, 뜻과 다를 경우 단호하게 끊어버린다
- **냉정하고 단호하다.** 적극적이지 않다.

• **커리어우먼**, 일을 위해 자신을 희생할 줄 안다.

The Book of Answers 〈내 인생의 해답〉

절대 아니다.

에너지 · 초점

타로카드와 〈내 인생의 해답〉 두 가지를 연결시켜 보면 감정을 억누르고 합리적인 판단과 행동을 하지만 자신의 생각과 뜻이 다를 경우 '절대 아니다' 라고 생각하여 단호하게 끊어버린다. 마음이 꽉꽉할 때가 많다. 그럼에도 불구하고 시야와 관점이 치우칠 수 있으므로 '절대 아니다' 라는 생각을 지우고 수용적으로 다시 한번 생각할 필요는 있는 것 같다. 오늘 그런 상황이 생길지는 모르겠다.

오늘 하루 - 집콕, 방콕

잇몸 치료적인 깊은 스케일링을 한 자리가 어느 정도 아물었다는 느낌이 들 때까지 치과 예약을 2번을 미루어 어제 마취를 하고 잇몸치료를 받았다. 그래서 오늘은 완전히 집콕, 방콕을 하였다. 병원에서 마취가 깰 때까지 음식을 먹어서는 안된다고 하여 점심을 굶었다. 또한 이후에도 딱딱한 음식을 피하고 되도록 부드러운 음식을 먹어야 했기 때문에 다른 곳을 나갈 생각을 엄두도 못 내고 집에 있어야만 하는 큰 이유가 되었다.

 **《저녁타로》 펜타클 4**

키워드 및 의미

- **소유**와 **집착**의 힘이 작용하고 있다.
- 나의 영역과 소유를 **확실하게 지키고 유지한다.**
- **소유, 집착, 인색, 물질적 부에 대한 집착**

교훈(오늘)· 통찰(내일)

'검여왕', '절대 아니다', '펜타클4' 이 모든 것들은 서로가 공통적인 특징을 갖는 것 같다. '검여왕'의 경우 합리적인 판단과 행동으로 단호히 끊어버린다. 즉 아닌 것은 절대 아니다. 또한 '펜타클4'도 나의 영역과 소유에 집착하는 면에 있어서 앞의 것들과 같은 점이 있다고 해석을 해본다. 오늘 하루가 나를 보존하기 위한 하루였다고 생각하면 모든 것들이 일맥상통하는 느낌이다.

With PAPAGO
절대 아니다.
It's definitely not.

2024년 4월 15일 월요일

TAROT CARD	
아침 타로	저녁 타로
소드 7	펜타클 5

《아침타로》 소드 7

키워드 및 의미

- **경솔하고 위험한 시도**, 도둑카드
- 이득을 위해 위험이나 손실을 감수하는 행위
- **상황을 빠르게 파악**하고 노하우를 은밀히 자기 것으로 만드는

능력이 출중함.

• 거짓 정보 유출, **부도덕한 방법의 실현**

The Book of Answers ⟨내 인생의 해답⟩
그로 인해 멋진 일들이 일어날지도

에너지 · 초점

'소드7'의 의미 중에서 상황을 빠르게 파악하고 노하우를 은밀히 자기 것으로 만드는 능력이 출중하다는 의미가 오늘 만남의 경우에 해당하는 것 같다. 'pingpongs'라고 전에 8명 정도 같이 하던 탁구 모임이 장소 미정 관계로 해체가 되어 다소 아쉬움이 있었으나 다시 새로운 탁구 모임에 가입하여 ⟨내 인생의 해답⟩ '멋진 일들이 일어날지도'라는 문장과 같이 새로운 멋진 사람들과 인연이 이루어진 것 같다. 사람이 뜻하면 이루어진다는 우주 기운의 원리가 어느 정도 작동된 것은 아닌지 한번 생각해 본다.

오늘 하루 – 북여탁구모임(찌음탁구클럽)

모처럼 pingpongs가 장소가 여유치가 않아 북여탁구 모임으로 같이 합세했다. 회원들을 보니 다들 서로 알고

있는 사이인 것 같고 나만 새로이 회원으로 추가된 셈이
되었다. 이번에는 탁구클럽을 빌려서 한달에 한번 정도
모임을 갖기로 했다. 회원들의 첫인상들이 좋았다. 연령층
도 40세~70세 초반까지 분포되어 있고, 다들 탁구를 쳐본
분들이라 게임이 꽤 재미있게 이루어졌다. 2시간 정도를
친후에 근처 김치찌개를 맛있게 한다는 식당으로 가서 저
녁식사를 맛있게 먹고, 5월을 약속하면서 각자 집으로 향
했다. 재미있는 시간이었다.

 ## 《저녁타로》 펜타클 5

키워드 및 의미

- 너무도 명백한 물질적인 **빈곤과 궁핍**
- **궁핍, 불안한 연합**
- 결과가 나지 않고 주변 상황이나 환경의 도움을 받지 못하고
  있다.
- **어려운 현실** 속에서 유지되고 있는 관계

> **교훈**(오늘)· **통찰**(내일)

 저녁에 뽑힌 타로카드는 '펜타클5'이다. 이것저것 연계된 것
이 없나를 곰곰이 생각해 봤는데, 굳이 연결시켜 보면 카톡상대
편(그놈)의 현재 상황을 나타내주는 것 같다. 상대편의 상황이

타로카드에 나타난 것처럼 궁핍한 상태로 어려운 현실 속에서 유지되고 있는 관계를 의미하는 것으로 해석된다.

언제까지 이러한 상태가 유지될지는 불확실한 상황이고 이러한 카톡 상대편(그놈)의 궁핍은 스스로가 자초한 결과라는 생각이 든다.

with PAPAGO
그로 인해 멋진 일이 일어날지도
That might cause great things to happen

☾ 타로카드는 우리의 내면과 외면의 세계를 조화롭게 이어줍니다.

2024년 4월 16일 화요일

TAROT CARD	
아침 타로	저녁 타로
	PAGE of SWORDS.
컵 6	검 시종

 ## 《아침타로》 컵 6

키워드 및 의미

- , 대표적인 **추억**이나 **회상** 카드, 과거를 통해 유대를 확인하는 경우
- **과거의 기억**이 어떤 형태로든 현재의 모습과 관여됨

- **실체가 현재 존재**하며 좋은 모습으로 존재할 가능성이 매우 높음
- **순수한 마음**은 깨지기 쉽고 유지되기 어렵지만, 그 마음은 강력하며 그 대상은 **영향**을 받을 수 밖에 없다.

The Book of Answers 〈내 인생의 해답〉

고생할 만한 가치가 없다.

오늘 하루 - 레슨(드라이브)

오늘도 평상시와 같이 위브에 있는 2층 탁구장으로 갔다. 오늘은 레슨이 있는 날이다. 레슨을 받은 내용은 포핸드 드라이브의 높낮이, 즉 위치에 따른 드라이브 자세 및 공격 방법에 대하여 배웠다. 드라이브 종류도 여러 가지인데 한가지 드라이브에 대한 디테일한 면에 있어서의 자세와 공격의 종류도 여러 가지인 줄 처음 알았다. 디테일 한 면에 있어서 이러한 것들을 배우는데 어려움을 많이 느꼈다. 짧은 레슨 시간이었지만 내게 많은 도움이 되고 보람된 시간이었다. 레슨 후 회원들과 복식게임을 시간 가는 줄 모르고 재미있게 즐겼다. 그런데 시합 도중에 떨어진 탁구공을 줏으려면 예전과 같이 동작이 자연스럽고 쉬운 것만은 아니었다. 점점 나의 몸이 노화되어감을 느낄 뿐이다. 아무튼 탁구는 나에게 너무 무리하지 않는 운동이고 재미를 느

낄 수 있게 해주는 것이 매우 좋았다.

에너지 · 초점

'컵6'은 대표적인 추억이나 회상카드 이다. 과거의 기억이 어떤 형태로든 현재의 모습과 연결되어 있으며 좋은 모습으로 존재할 가능성이 매우 높은 카드이다. 그래서 그런지 내가 탁구는 약 50여 년전 중학생 때 친척 누나한테 최초로 공을 넘기는 방법을 배웠고 고등학교 때 친구들과 조금씩 치곤 하였다. 그후 직장생활을 하면서도 가끔은 동료들과 간간히 탁구를 쳤다. 이것이 인연이 되어서 그런지 퇴직 후에도 탁구를 치고 싶어서 여러 곳에 알아보았는데 중2동 주민센터에서 분기별로 탁구회원들을 모집하는 것을 보고 그곳에 등록하였다. 벌써 시작한지 3년 째 접어들었다. 아무튼 간헐적이나마 탁구를 칠 수 있었던 것이 지금도 이렇게 취미생활로 생활의 한부분을 꾸준히 차지하는 것 같다. 탁구는 재미있고 좋은 운동이다. 〈내 인생의 해답〉의 문장 '고생할 만한 가치가 없다'는 오늘 하루와 연계성이 무관한 것 같다.

 ## 《저녁타로》검 시종(PAGE of SWORDS)

키워드 및 의미

• **경계**, 안전하다고 판단될 경우 결단과 행동을 택할 것이다.

- 자기 생각과 판단에 자신감이 부족해, 상황을 정확히 파악하고 움직이려는 경향이 있다.
- 사람을 믿지 못하고 여기저기 알아보려는 성향
- (거래) 조항 하나하나를 모두 꼼꼼하게 따진다. 꺼내기 어려운 말이라도 꼭 묻는다.

교훈(오늘)· 통찰(내일)

'검시종' 카드의 의미는 아직 자기 생각과 판단에 자신감이 부족하며 상황을 정확히 파악하고 움직이려는 경향이 있다고 해석되기 때문에 모든 상황에서 잘 검토하고 꼼꼼이 따져보고 결단과 행동을 택하여야 할 것이다 라는 의미로 교훈을 주는 것 같다.

---

with PAPAGO
고생할 만한 가치가 없다.
It is not worth the trouble.

☾ 타로카드는 우리의 내면과 외면의 세계를 조화롭게 이어줍니다.

2024년 4월 17일 수요일

TAROT CARD	
아침 타로	저녁 타로
KNIGHT of WANDS.	ACE of PENTACLES.
완드 기사	펜타클 에이스

 ## 《아침타로》 완드 기사(KNIGHT of WANDS)

키워드 및 의미

- 서두르고 있음. 지속성을 보장 못함.
- 열정적이지만 **성급한 속성**, 행동이 먼저가는 인물
- **충동적**이고 **전투적**이다. 마음먹으면 즉시해야 한다

• 준비없이 **욕망이나 욕구를 앞세우는** 인물

The Book of Answers 〈내 인생의 해답〉
그로 인해 멋진 일들이 일어날지도

에너지 · 초점

이상하리 만큼 '완드기사' 카드가 자주 나온다. 이 뜻은 평상시에 마음을 조급하게 갖고 서두르고 있음을 나타내는 의미인 것 같다. 이런 조급하고, 충동적인 마음을 다스리면 〈내 인생의 해답〉 '그로 인해 멋진 일들이 일어날지도' 라는 문장대로 될 수 있음을 암시하는 것은 아닌지 하는 생각을 해본다.

오늘 하루 - TV 교체

아침에 집사람과 쇼핑을 하고 집으로 돌아왔다. 점심은 빠게뜨 빵과 우유 식빵에 치즈, 소세지, 소스 등 내용물을 넣어 간단히 해결했다. 점심 때쯤 기사분들이 오셔서 거실 TV를 교체하였다. 현재까지 사용하던 TV는 자주 시청 도중에 스스로 꺼지는가 하면, TV를 켤 때도 리모콘으로 TV를 켰는데도 조금 후 TV화면이 안 나오고 검은 상태이고 소리만 들렸다. 안방에 있는 TV도 약 15일 전부터 그런 현상이 보이더니 이제는 완전히 화면이 캄캄한 먹통이 되었다. 거실 TV도 똑같은 현상이 나타나서 오늘 교체하였다. 전 TV보다는 인치수가 작고 스탠드형

이어서 그런지 많이 작아 보였다. 그래도 전원을 ON 할 때 한 번에 할 수 있고 고장이 없는 상태라 훨씬 마음의 안정감이 들었다. 다 좋은데 자꾸 볼 때마다 TV가 너무 작아보였다.

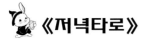 《저녁타로》

펜타클 에이스 (ACE of PENTACLES)

키워드 및 의미

- 물질적인 부와 풍요를 약속하는 가능성, **원석**
- **시작, 출발, 준비된, 풍요로운**
- **눈에 보이는 결과**, 결실을 낼 수 있는 여건이 조성된 상태
- 삶의 목표를 현실에 두는 카드, 돈과 함께 하는 출발

교훈(오늘)· 통찰(내일)

'펜타클 에이스'는 주로 삶의 목표를 현실에 두며 물질적 가치에 중심을 두며 시작, 출발의 의미를 갖는다.

오늘 TV를 교체 했는데 생각으로는 조금 더 뒤에 다시 말하면 저번주 금요일쯤에 TV를 신청해서 휴일 빼고 다음주 월요일에 새로운 TV로 교체되지 않을까 생각하고 있었는데<내 인생의 해답>의 문장 '그로 인해 멋진 일이 일어날지도'라는 의미와 유사하게, 자꾸 TV가 꺼져서 TV를 보는 동안 마음을 조이고 보던 것이 오늘 교체되어 멋진 일이 일어난 것 같기도 하다. TV

도 물질이고, 교체도 현실이고, 안정적으로 볼 수 있는 것도 멋진 일인 것이다. 물론, 나만의 해석일 수도 있으나 카드에 그려진 그림처럼 생각보다 적은 돈으로 TV를 교체했다.

with PAPAGO
그로 인해 멋진 일이 일어날지도
I don't know if that's what's going to happen

◖ 타로카드는 우리의 내면과 외면의 세계를 조화롭게 이어줍니다.

2024년 4월 18일 목요일

TAROT CARD	
아침 타로	저녁 타로
펜타클 10	완드 5

《아침타로》 펜타클 10

키워드 및 의미

- **가족과 일상, 우리의 삶,** 일상을 이루고 있는 모든 것
- **안정을 추구**하는 상황에서는 매우 좋은 카드
- **온전한, 안전한, 단란한 가정, 안정적인 주거**

171

• 많은 사람들이 **즐거움을 공유**하는 단계

The Book of Answers 〈내 인생의 해답〉

기다려라

에너지 · 초점

'펜타클10'은 일상을 이루고 있는 우리의 삶, 일상적인 가족의 체계, 역할을 의미하며 안정을 추구하는 좋은 의미로 해석된다. 〈내 인생의 해답〉의 문장과 연결하면 온전한 일상이 꾸준히 이루어지게 노력하며 서두르지 말고 자신의 역할을 다 함으로서 일상생활에서 그 결과를 기다리라는 의미인 것 같다.

오늘 하루 - 탁구대회, 오찬

다른 날보다 10분 일찍 탁구장을 갔다. 오늘은 자체적으로 우리끼리 탁구시합을 하는 날이다. 아침에 회원들끼리 모여 잘하는 사람 한 파트, 잘못하는 사람 한 파트 이렇게 2부분으로 나누어 각 파트 별로 A~F로 나누어 잘하는 파트의 사람들이 나머지 사람들의 쪽지를 뽑아서 같은 알파벳끼리 한조가 된다. 그렇게 하여 복식게임을 시작하였다. 풀리그를 하여 한 개의 조가 5

번씩의 게임을 하도록 정했다. 게임이 곧 시작되었다. 시합이라 그런지 다들 긴장을 하고 최선을 다하여 게임에 임하는 분위기였다. 분위기가 매우 고조되어 있었다. 2시간 가량을 재미있게 게임을 하였다. 끝난 후에도 회원들 모두 즐거운 분위기였다. 점심식사로 봄도되고 다들 나이들도 어느 정도 있고 하여 맛집으로 알려진 추어탕(鰍魚湯)집으로 가서 식사들을 맛있게 하고 근처 Cafe에 가서 이런저런 이야기들을 나누고 즐거운 시간을 보냈다.

나온 이야기의 주된 것들이 '건강'에 관한 이야기이었고, 그 구체적인 내용은 대상포진과 그 밖의 성인들 병에 관한 것이었다. 한 분이 대상포진 예방 주사는 꼭 맞으라고 당부를 하였다. 많은 도움이 된 내용들 이었다고 생각된다.

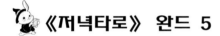 《저녁타로》 완드 5

키워드 및 의미

• 각자 다른 방향성을 가진 생각들을 치열하게 고민하여 갈등하는 상황
• 서로 **의지가 충돌**하는 상황
• 선명한 개성, **투쟁, 경쟁,** 각기 다른 방향성
• **갈등의 표면화**, 구체적으로 드러남

교훈(오늘)· **통찰**(내일)

'완드5'는 각자 다른 방향성을 가진 생각들이 갈등하는 상황이다. 이것은 오늘 카톡 상대편(그놈)과의 서로 다른 생각들이 충돌하고 각기 다른 방향성으로 갈등이 드러나는 오늘의 상황인 것 같다. 카톡으로 지속적이고 심한 압박을 가해야 내가 원하는 방향으로 조금씩, 조금씩 다가가는 것 같았다. 참 인간 같지도 않은 인간이다. 조금 더 지켜보기로 하자.

With PAPAGO
기다려라
Wait

☾ **타로카드는 우리의 내면과 외면의 세계를 조화롭게 이어줍니다.**

2024년 4월 19일 금요일

TAROT CARD	
아침 타로	저녁 타로
검 10	7. 전차

《아침타로》 검 10

키워드 및 의미

• **문제에 휘둘림**, 상황을 종결시키고 새판을 짜는 것만이 답.

앞으로 쓰러진 사람	상황에 대처할 힘이나 능력이 없고 그럴만한 상황이 않됨
칼의 위치	다양한 문제나 고민들이 한꺼번에 이사람을 덮쳤음.

- **통제불능, 급급한 일처리, 현실적인 아픔**이며 되돌릴 수 없는 상황, 시간과 여유가 없다.
- **부정적 생각**이 현실화된 상황에서 당사자의 결정을 기다리는 카드

The Book of Answers <내 인생의 해답>
당신이 알아야 할 모든 것을 알게될 것이다

에너지 · 초점

오늘 새벽에도 카톡을 했지만 카톡 상대편(그놈)의 현재 상황을 나타내주는 카드(검10)인 것 같다. 즉 문제에 휘둘리며 부정적 생각이 현실화된 상황에서, 현실적인 아픔이며 되돌릴 수 없는 상황을 의미한다고 해석된다. 너무 많은 생각에 매몰되어 있는 것 같다는 생각이다. 완전히 나만의 생각이다.

오늘 하루 - 장봉도(長峰島) 탐방

오늘은 초등학교 친구 중 한 명이 장봉도(長峰島)를 가자고 한 날이다. 다시 정확히 이야기하면 장봉도(長峰島)로 초대한 날이다. 장봉도(長峰島)에는 약 1,040명 정도가 거주하고 있다고 한다. 친구들 총 모임 인원 10명이 확정되어 오늘 삼목선착장(三木船着場)에서 아침 09:40분에 모이기로 약속을 정했다. 그래서

아침 식사를 일찍 하고 차를 몰아 삼목선착장(三木船着場)으로 갔다. 내가 제일 일찍 온 것 같았다. 잠시 후 일행 몇몇이 도착했다. 아직 인원이 모두 도착을 못했다. 배시간은 10:10분에 출항이다. 09:50분이 조금 넘어서 나머지 일행도 도착하였다. 일행 중에서 총무가 주민등록증을 모아서 장봉도행 승선권을 한꺼번에 끊었다.

인천사람들은 조금 가격이 싸다고 한다. 시간이 되어서 우리 모두 장봉도행 배에 승선을 했다. 차도 2대를 배에 같이 가지고 갔다. 나도 몇 번 장봉도에 학생들하고 청소년단체 봉사활동 관계로 왔었는데, 친구들과 같이 오니 부담도 없고 홀가분한 기분이었다. 온전한 우리만의 시간이었다. 차 2대로 장봉도 이곳저곳을 둘러보았다. 예전에는 없던 주차장들이 다리 나 등산로 입구에 꽤 많이 생긴 것 같았다. 어느 정도 구경을 하고 나니 친구가 잘 아는 장봉도 현지 거주 안내원이 도착하였다. 점심을 먹을 시간이 되어 예약한 식당에 안내원이 미리 전화를 걸어 알아보니 와서 식사를 해도 괜찮다고 하여 식당으로 향했다. 특히 메뉴중에서 가기서 직접 잡아온 생생한 낙지와 대합이 일미이었다. 아울러 장봉도에서 나는 김은 전라도에서 생산하는 김값보다 3배 정도가 비싸다고 하여 더욱더 맛있는 것 같았다. 또한 안내원의 소개로 조금 떨어진 Coffee Shop을 갔더니 가정집을 약간 변환시킨 것 같았다. 분위기도 괜찮고 커피도 양이 많고 맛도 좋았다. 아울러 친구가 선물로 가져온 티셔츠 상의를 1인당 2벌씩을 모두에게 선물(膳物)해줘서 더욱더 풍성하고 기쁜 시간이었다. 그 친구의 마음이 너무너무 고마웠다. 또한 같이 시간을 나눌 수 있는 모든 친구들에게 그냥 고마울 따름이다.

장봉도(長峰島)구경은 친구들 덕분에 아주 즐겁고 보람된 시간이었다. 이렇게 가끔은 회색도시를 떠나서 교외로 나와 우리들만의 시간을 갖는 것도 꽤 의미가 있어 보인다. 나이가 들수록 더욱더 이런 시간들이 좋은 것 같다. 아무튼 오늘은 정말 괜찮은 날이었다. 자주 이런 시간이 생겼으면 하는 바람뿐이다.

《저녁타로》 7. 전차(CHARIOT)

키워드 및 의미

• **자신감, 과단성, 과감함, 빠른 진행,** 자만심을 조심

- 끈질긴, **내적갈등과 외적방어**, 신중하며 단호하다
- 충분히 준비되기 전에는 행동으로 옮기지 않는다.
- **목표에 집중**하는 모습이며 **야망**이 차고 넘친다.
- 수단과 방법을 가리지 않는 **승리**

교훈(오늘)· **통찰**(내일)

'7.전차' 타로카드가 나온 의미는 자신감과 과단성을 갖고 목표에 집중하되 충분히 준비되기 전까지는 행동으로 옮기지 않으며 신중해야 한다는 것 같다.

with PAPAGO
당신이 알아야할 모든 것을 알게 될 것이다.
You'll be know everything you need to know.

☾ **타로카드는 우리의 내면과 외면의 세계를 조화롭게 이어줍니다.**

2024년 4월 20일 토요일

TAROT CARD	
아침 타로	**저녁 타로**
펜타클 2	**펜타클 10**

 ## 《아침타로》 펜타클 2

키워드 및 의미

- 불편한 펜타클의 **순환적 관계**
- **돌려막기**, 어느 하나라도 문제가 생기면 모든 것을 잃게되는 어려움이 존재, 무리하지 말아야.
- **균형**, 현상을 **유지**하기 위한 노력이 계속 필요한 상황

- 변화되는 상황과 현상을 온 힘을 다하여 다루고 있음.

The Book of Answers 〈내 인생의 해답〉

보다 흥미로워 질것이 분명하다.

에너지 · 초점

'펜타클2'의 의미는 불안한 순환적 관계이므로 어느 하나라도 문제가 생기면 모든 것을 잃게 되는 어려움이 있으니 현 상황을 유지하기 위한 노력이 지속적으로 필요한 상황임을 의미하는 것 같다. 이 해석은 카톡대상자(그놈)에 대한 현재의 여러 가지 어려운 상황을 나타내 주는 것이라 해석된다.

오늘 하루 - 하루종일-비

하루 종일 비가 내렸다. 어제만 해도 날씨가 매우 좋았었는데. 그래서 장봉도에서의 즐거운 시간을 보낸 것이 정말 다행이었다. 오늘은 그냥 그대로 집에 있으면서 쉬고 시간을 보냈다. 그러면서 하루가 무사히 지나갔다. 평범한 감사한 하루였다.

《저녁타로》 펜타클 10

키워드 및 의미

- 가족과 일상, **단란한 가정, 안정된 주거**, 우리 삶 그 자체
- **안정**을 추구하는 상황에서는 매우 좋은 카드.
- 자기만족을 위해 많은 사람에게 베푸는 행위
- **유산과 상속**, 많은 사람이 즐거움을 공유

교훈(오늘)· 통찰(내일)

통상적인 우리의 삶을 나타내며 단란한 가정, 안정된 주거, 안정을 추구하는 생활을 의미한다. 또 다른 의미로 가족에게 유산이나 다른 형태로 분배된 상황을 나타내기도 한다. 즉 오늘은 안정적인 일상 상황이 전개됨을 의미하는 것 같다.

With PAPAGO
보다 흥미로워 질것이 분명하다.
It's sure to get even more interesting.

☾ **타로카드는 우리의 내면과 외면의 세계를 조화롭게 이어줍니다.**

2024년 4월 21일 일요일

TAROT CARD	
아침 타로	저녁 타로
펜타클 5	20. 심판

《아침타로》 펜타클 5

키워드 및 의미

- **불안전한 상황**으로의 변화

* 물질적인 **빈곤과 궁핍**, 금전적인 부담과 갈등

* 결과가 나지 않고 주변 상황이나 환경의 **도움을 받지 못함**

183

* 현실적으로 **힘든 상황**을 유지, 현재의 상황은 어려운 현실 속에서 유지되고 있는 관계에 초점을 둠.

에너지 · 초점

'펜타클 5' 카드가 종종 나온다. 내 생각으로는 카톡 상대편(그놈)과 지속적으로 카톡을 하고 생각을 해서 그런 것 같다. 이 카드의 의미는 상대편의 현재 상황을 나타내 주는 것으로 해석된다. 즉 현재의 어려운 현실 속에서 어렵게 유지되고 있는 관계를 의미 하는 것 같다. 〈내 인생의 해답〉 "1년후 즈음에는 아무 상관이 없을 것이다." 라는 문장을 한번 기대를 해보고 모든 문제가 말끔히 해결됐으면 하는 바람이다. 그렇게 되기를 엄중히 바란다.

The Book of Answers 〈내 인생의 해답〉

1년 즈음에는 아무상관 없을 것이다.

오늘 하루 - 평범한 일상

오늘 하루는 집에서 독서, TV시청, U-tube시청, 등등을 하며 하루라는 일상을 무사히 보냈다. 감사한 하루였다.

《저녁타로》 20.심판(JUDGEMENT)

키워드 및 의미

- **소식**이 들려온다.
* **변화의 때**가 되었음을 안다.
* 모든 것이 드러나고 자신의 행위에 대한 **심판**이 있을 것이다.
* 심판에 대한 준비를 위해 내면을 성찰하고 **변화할 준비**를 하라는 것.

교훈(오늘)· 통찰(내일)

'20.심판' 카드는 어떤 식으로든 결론(심판)이 나며 모든 것이 드러나고 변화의 때가 되었음을 의미한다. 〈내 인생의 해답〉과 연계하여 해석하면 1년 후 그 즈음에는 모든 결론이 나고 아무런 상관이 없다는 문장이 픽(Pick) 되었으니 그때까지 기다려 보아야 하는 건지 모르겠다.

with PAPAGO
1년후 즈음에는 아무상관 없을 것이다.
It won't matter a year later.

2024년 4월 22일 월요일

TAROT CARD	
아침 타로	저녁 타로
![THE HIEROPHANT]	![ACE of SWORDS]
5. 교황	검 에이스

 ## 《아침타로》 5. 교황(THE HIEROPHANT)

키워드 및 의미

- 문제를 해결할 수 있는 **열쇠**를 가지고 있음. 그 문제가 풀리게 될 것임.

* **중개인**, 신뢰, 신중한, 자주성, 정신적으로 성숙한 **멘토**나

중재자.

* **제휴, 연합, 동맹.**

* 갈등의 원인을 안고 있으며 **형식적 관계**가 이루어짐.

The Book of Answers ⟨내 인생의 해답⟩

확실하다.

에너지 · 초점

'5.교황' 카드는 많은 키워드중 오늘은 특히 중개인, 제휴, 연합 이라는 단어가 눈에 확 들어온다. 그 이유는 새벽에 카톡 상대편(그놈)과 어느 정도 방법적인 면에서 타협을 보았다고 얘기할 수 있겠다. 이것이 지속적으로 이행되는 지는 시간을 두고 지켜볼 일이다. 또한 ⟨내 인생의 해답⟩의 문장 "확실하다." 라는 것이 나왔는데 무엇이 확실한 것인지는 두고 볼일이다.

오늘 하루 – 집안 일

오늘은 집에 있으면서 집사람이 열무김치 담그는 일에 관련된 잔심부름과 허드렛일을 도와주고 뒷정리까지 했다. 또한 쓰레기 분리수거, 우리 아파트 주차장 세차에 따른 나의 자동차 이송, 등등 사소한 일 처리들을 했다.

《저녁타로》 검 에이스(ACE of SWORDS)

키워드 및 의미

* **판단, 결정, 확신과 신념, 명료함.**
* 생각을 분명히 한다. 현재의 생각을 버릴 생각이 전혀 없다
* **한가지 생각**만 가지고 밀고 나가라는 의미
* 강한 정신력, 기회를 붙잡다.

교훈(오늘)· 통찰(내일)

'검 에이스' 카드는 생각을 분명히하고 한가지 생각만을 가지고 밀고 나가라는 의미이며 판단과 결정을 잘하여 현재의 생각을 그대로 밀고 나가서 기회를 붙잡으라는 의미인 것 같다.〈내 인생의 해답〉 "확실하다." 의 문장과도 어느 정도 뜻은 통하는 것 같다. 그런데 이런 의미가 오늘과의 상관관계는 크게 없는 것 같다.

With PAPAGO
확실하다.
It's for sure.

2024년 4월 23일 화요일

TAROT CARD	
아침 타로	저녁 타로
IX	V
컵 9	컵 5

 ## 《아침타로》 컵 9

키워드 및 의미

- 목표를 성취할 가능성이 높은 것, **진정한 만족함, 달성**
- 대인관계의 완성과 감정의 완성, **정신적 물질적 풍요**
- **현재의 상황과 관계에 만족함.**

* 현재의 상황을 기쁘게 받아들이는 것이 행복의 조건임

The Book of Answers 〈내 인생의 해답〉
망설이지 마라.

에너지 · 초점

오늘 집중해야 할 것은 목표를 성취할 가능성이 높아 망설이지 말고 현재 상황을 기쁘게 받아들이고 이것이 행복의 조건임을 알아야한다는 의미이다. 진정한 만족감, 감정의 완성을 느껴본다는 의미로 해석을 할 수 있다. 또한 망설이지 말고 현재의 상황에 만족하라는 것이라 해석된다.

오늘 하루 - 탁구레슨

오늘은 탁구하러 가는 날이다. 특히 탁구 레슨(Lesson)이 있는 날이다. 오늘은 탁구 자세에서 약간의 스텝(Step) 이동과 백핸드 드라이브를 치는 자세와 방법을 배웠다. 갈수록 어려운 것 같다. 그렇지만 이렇게 탁구를 배울 수 있는 현재 상황을 기쁘게 받아들이고 이것이 행복의 조건임을 알아야 한다는 것 같다.

《저녁타로》 컵 5

키워드 및 의미

* 지난 날의 관계나 감정들에 더 큰 **미련**이 있음.
＊ 자신의 기대에 미치지 못하는 결과
＊ 지난 행동에 대한 **후회**, 관계가 무너졌음
＊ 충격과 실망, 감정이 깨지고 쏟아진 상황, **실망감, 상실감.**

교훈(오늘)· **통찰**(내일)

'컵 5' 카드의 의미는 지난날에 대한 큰 미련을 갖고 지난 행동에 대한 후회, 상실감, 실망감, 관계가 무너짐을 나타내는 카드이나 오늘과는 큰 연관성이 없는 것 같다.

With PAPAGO
망설이지 마라.
Don't hesitate

☪ **타로카드는 우리의 내면과 외면의 세계를 조화롭게 이어줍니다.**

2024년 4월 25일 목요일

TAROT CARD	
아침 타로	저녁 타로
완드 9	18. 달

《아침타로》 완드 9

키워드 및 의미

- **의지**를 **유지**하고 지킨다. 지속적으로 노력한다.

- **방어적인, 지속적인, 굳건함**, 중요한 임무수행

- 스스로가 고생해서 쌓아올린 가치를 어떻게든 **지켜내는데**

성공하는 굳건함.

• **할 일이 분명함**, 자신만의 일이 존재함.

The Book of Answers 〈내 인생의 해답〉

예기치 못한 일에 대비하라.

에너지 · 초점

'완드 9' 카드는 스스로 고생해서 쌓아 올린 가치를 지켜내는 것에 성공하는, 방어적인, 굳건함을 보여주는 의미로 해석된다. 또한 할 일이 분명하며 자신만의 일이 존재함을 나타내 주는 카드이다. 〈내 인생의 해답〉 "예기치 못한 일에 대비하라" 는 것도 굳건함으로 그 가치를 지켜내라는 것으로 해석된다.

오늘 하루 – 탁구

오늘 하루는 특별한 일없이 일상 하던대로 탁구장에 가서 회원들과 탁구 복식 게임을 재미있게 하고 집으로 돌아왔다. 평범한 하루였다. 그래도 일주일 2회 정도 탁구를 하니 탁구 실력도 어느정도 조금씩 늘어나는 것 같고 꾸준한 운동이 되어 건강에도 참 좋은 것 같다. 꾸준히 하던대로 운동을 하며 건강을 지켜내는 것이 쉬운 일만은 아닌 것 같다. 건강을 지키자!
그래서 '완드 9' 카드가 나왔나? 하는 생각이 언 듯 뇌리를 스쳐 지나간다.

 ## 《저녁타로》 18.달(THE MOON)

키워드 및 의미

- 헛된 시간만 낭비하고 있을 가능성이 있음.
- **변화와 변덕, 의심스러운 일, 불확실, 모호함, 불안**
- 곧 드러날 위기, 자기확신 부족, 오해, 예상치 못한

교훈(오늘)· 통찰(내일)

'18.달' 카드의 상징적 키워드는 불확실, 애매모호 이다. 앞으로 있을 카톡 상대편에 대한 이야기 일 수도 있고 그냥 앞으로의 일일 수도 있다. 아무튼 현실적으로 불확실한 상황에 대한 두려움을 표현하고 있음이다. 곧 현재 나의 마음의 불확실한 상황에 대한 불안함이 나타나 있는 것 같다. 〈내 인생의 해답〉 '예기치 못한일에 대비하라'도 유사한 뜻을 내포하고 있는 것 같다. 물론 미래에 대한 일을 정확히 아는 사람은 없겠지만 그래도 막연한 불안감을 느끼는 저녁이다.

---

with PAPAGO
예기치 못한 일에 대비하라
You prepare for the unexpected

2024년 4월 26일 금요일

TAROT CARD	
아침 타로	저녁 타로
펜타클 9	펜타클 왕

《아침타로》펜타클 9

키워드 및 의미

- **풍요롭고 준비된 환경**은 사람에게 여유와 기회를 준다
- 개인의 성취 또는 안정을 도모하는 경우
- **물질적인 풍요로움, 생활의 여유,** 자신의 노력에 따른 결과와
  의외의 행운

195

• 자신의 노력을 통해 누리게 될 **현실적 가치**

The Book of Answers ⟨내 인생의 해답⟩

우선 순위를 정하는 것이 필수과정이다

에너지 · 초점

'펜타클9'는 이미지도 좋고 풍요로움을 느끼게 하는 좋은 카드 인 것 같다. 이것은 자시 자신의 노력으로 인하여 누리게 될 결과나 현실적 가치 즉 물질적 풍요로움, 생활의 여유를 의미하는 것으로 해석된다. 풍요롭고 준비된 환경은 사람에게 여유와 기회를 준다는 것을 나타내주는 카드이다. 물질적인 좋은 일이 생기길 바라본다.

오늘 하루 – 치과 치료

오늘은 예약된 치과 치료를 받는 날이다. 위쪽 치아는 마취를 하고 잇몸치료를 받고, 아래 쪽도 잇몸 치료를 받고 모든 치료가 끝나는 줄 알았는데 위쪽 잇몸에 붓기가 아직 있어서 일주일 후에 다시 확인해 보고 결정한다고 의사 선생님의 말씀이 있었다. 내 느낌에는 잘 될 것 같다는 생각이 든다. 조금은 낫는 속도가 느려서 시일이 좀 걸리는 것 같다는 나의 생각이다. 잘되야 될텐데.

《저녁타로》 펜타클왕(KING of PENTACLES)

키워드 및 의미

- 물질적인 부분에서 가장 높은 위치, **성공한 사람**, 안정적인 시기
- **부와 풍요, 갑의 위치, 여유**롭고 **풍요**롭다
- **돈과 권력,** 이해타산과 계산에 능숙한 인물

교훈(오늘)· 통찰(내일)

현실(現實)의 물질적인 면에 있어서 모든 것을 지배하는 능력을 가진 것을 뜻한다. 부와 풍요를 모두 거머쥐었다는 의미이다. 물질적으로 꽤 좋은 카드라 생각된다. 모든 것이 '펜타클 왕' 처럼 되길 바란다.

With PAPAGO
우선 순위를 정하는 것이 필수과정이다.
Prioritizing is a mandatory process.

☾ 타로카드는 우리의 내면과 외면의 세계를 조화롭게 이어줍니다.

2024년 4월 27일 토요일

TAROT CARD	
아침 타로	저녁 타로
THE EMPEROR.	
4. 황제	검 4

《아침타로》 4.황제(THE EMPEROR)

키워드 및 의미

- 자신의 힘으로 쟁취하고 있는, **현실에 대한 통제력**
- **권력, 힘, 카리스마, 현실적인 성공**, 나이든 남자, 정상에 있는 사람, 신중한, 외유내강

- 자신의 신념이 굳건하고 이런 삶에서 실천하며 살아감
- 실생활에서 지위나 책임과 관계되는 부분은 모두 긍정.

The Book of Answers <내 인생의 해답>
당신이 조금 더 나이든 후라면...

에너지 · 초점

'4.황제' 카드는 스스로의 힘으로 권력, 힘, 정상을 쟁취하고 있으며 자신의 신념이 굳건하고 현실적인 성공을 뜻하며 외유 내강을 삶에서 실천하며 살아간다고 해석할 수 있겠다. 즉 현실 적으로 많은 것을 가지고 있음을 뜻하고 통제력도 뛰어남을 나 타내고 있다고 볼 수 있다. '조금 더 나이든 후라면' 이라는 문장이 나왔는데 이것은 지금 나이든 나의 현실을 의미하는 것 이 아닐까 하는 나만의 생각을 한번 연결시켜 본다.

오늘 하루 – 평범한 주말

오늘은 우리 아파트 주변의 산책로를 운동 겸 산책을 했다. 예전과 달리 세월이 흘러서 아파트 주변의 산책길이 큰 나무숲 으로 우거져 있어서 정말 산책하기에 좋아 사람들이 꽤 많았다. 유머차에 강아지를 싣고 밀고 가는 사람, 이어폰을 끼고 음악을 들으며 걸어가는 사람, 부부끼리 정담을 나누며 걷는 사람, 혼 자 빠르게 뛰는 사람, 강아지를 끌고 가는 사람 등등 여러 모습

의 풍경들이 벌어지고 있었다. 나는 산책 후 특별한 일없이 집에서 독서, TV시청, 유튜브 시청 등을 하며 주말의 시간을 아주 평범하게 보냈다.

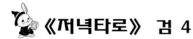 《저녁타로》 검 4

키워드 및 의미
- **휴식**, 무리하게 움직일 필요가 없다
- 안정적인 상태가 지속되고 무리하지 않는다. 성공적인 방식을 따르고 반복한다
- **평화로운, 안전한, 휴식**
- 심리적으로 대단히 위축되어 있다.

교훈(오늘)· 통찰(내일)

'검4' 카드는 가장 상징적인 의미가 '휴식' 이다. 그것도 스스로의 휴식이 아니고 강제적인 휴식이기 때문에 심리적으로 많이 위축되어 있는 상태이다. 그래서 안정적인 상태가 지속되기를 유지하며 무리하지 않는다. 그리고 성공적인 방식을 따르고 반복한다. 평화롭고 안전한 휴식을 의미한다.

With PAPAGO
당신이 조금 더 나이든 후라면
If you're a little older

TAROT CARD	
아침 타로	저녁 타로
PAGE of SWORDS.	V
검 시종	검 5

《아침타로》 검 시종(PAGE of SWORDS)

키워드 및 의미

- **경계, 조심성,** 경계심이 강하다. **의심**이 많다, 현실을 직시한다. 신중하고 지각이 있는 사람.
- 자기 생각과 편단에 **자신감이 부족**해 상황을 정확히 파악하고 움직이려는 경향

• 자신의 지식, 경험, 느낌이 상대를 힘들고 곤란하게 하는 것, 알고도 넘어가는 성격의 인물이 아님.

The Book of Answers 〈내 인생의 해답〉

지지를 받게된다.

에너지 · 초점

'검시종' 카드에 나타난 것처럼 경계심과 조심을 가지고 현실을 직시해야 한다는 뜻이다. 상황을 정확히 파악하고 행동에 옮기라는 의미이다. 돌다리도 두들겨 보고 건너라는 것이다. 매사에 조심성 있게 행동하라는 의미를 카드가 나타내주는 것이라고 생각이 든다. 그러면 〈내 인생의 해답〉에서 나온 문장처럼 '지지를 받게될 것' 이라는 나의 해석이다. 물론 너무 지나치게 경계심과 조심성을 갖는 것도 문제이지만 경계심과 조심성을 그냥 무시하고 지나치게 행동이 먼저 나가는 것도 문제일 것이다. 알맞은 경계심, 조심성을 겸비한 합리적인 행동을 행함에 힘을 기울이는 것이 합당하다고 생각된다.

오늘 하루 - 걷기 운동

집을 나서며 오늘은 조금 더 시간을 걷는데 투자를 해보자 하는 생각이 들어서 일단은 중앙공원을 한 바퀴(1.6Km)를 돌고 다시 집 쪽으로 와서 아파트 주변의 숲길 산책로를 한 바퀴 돌았다. 그리고 집을 향해 소요된 시간이 총 50분 정도가 소요되었다. 그런데 중앙공원과 집 주변의 수목들이 며칠 전(前)과는 달리 점점 짙푸른 색을 더 해가고 있었다. 참 계절의 변화는 어쩔 수 없나 보다. 우리 동 아파트 입구에 도착하여 평상시 같으면 엘리베이터를 타고 올라갔을 텐데 오늘만큼은 걸어 올라가기로 마음먹었다. 우리집 층수 16층까지 올라와 보니 숨이 차올랐다. 그러나 예전보다는 숨이 덜 찬 것 같아서, 아마도 꾸준히 걷고 탁구 운동도 일주일에 2번 정도를 2시간씩 하고 나니 그로 인하여 운동 효과가 조금씩 쌓여서 몸 건강을 Build-Up 시키는 것 같았다. 꾸준하고 적절한 운동은 절실히 필요한 것 같다. 특히 나이가 들수록 더욱더 그런 것 같다.

《저녁타로》 검 5.

키워드 및 의미

- **승·패**가 명확하게 갈리는 상황이 발생한다. 일이 빠르게 흘러가고 상황이 깔끔하게 결정난다.
- **힘의 불균형**, 불균형이 가져다 주는 패배가 될 수 있다.
- **패배**쪽의 의미에 좀 더 집중하고 있다.
- 실질적인 **불이익**으로 돌아올 가능성이 높다. 패배한 상황에서 모든 걸 내려 놓는 것.

'검 5' 카드의 상징적 의미는 '갈등의 결과' 이다.

패배한 상황에서 모든 걸 내려놓는 것을 의미한다. 구체적인 결과가 드러났을 경우 많이 출현한다는 카드이다.

이것과 연계하여 불현듯 생각나는 것이 카톡 상대편(그놈)과 관련된 카드라고 읽혀진다. 즉 갈등의 결과로 카톡 상대편(그놈)이 부분적으로 많은 것을 내려놓을 것 같은 나만의 예감이 든다. 단지 나의 생각일 뿐인지 조금 더 두고 보아야 할 것 같다.

with PAPAGO
지지를 받게된다.
You'll get support.

☾ **타로카드는 우리의 내면과 외면의 세계를 조화롭게 이어줍니다.**

2024년 4월 29일 월요일

TAROT CARD	
아침 타로	저녁 타로
 THE EMPEROR.	 **PAGE of CUPS.**
4. 황제	컵 시종

 ## 《아침타로》 4.황제(THE EMPEROR)

키워드 및 의미

- 스스로 일구어낸 영역에 대해서는 절대로 포기하지 않고 방어
  함. **실질적인 권력.**

- 스스로의 힘으로 **자기영역을 지배, 통솔**한다. 외부에서 나의 영역을 침범하면 물러서지 않고 싸운다.
- **권력, 힘, 카리스마, 현실적인 성공**, 경쟁이 심한 일에서의 성공, 정상에 있는 사람.
- 실생활에서 **지위나 책임**과 관계되는 부분은 모두 긍정.

The Book of Answers ⟨내 인생의 해답⟩

절대(絶對)로

에너지 · 초점

'4.황제' 카드의 의미는 스스로 일구어낸 영역(營域)에 대해서는 절대(絶對)로 포기하지 않으며 자기 영역을 지배 통솔한다. 또한 나의 영역에 침범하면 물러나지 않고 싸운다. 책임과 지위에 관련된 부분은 모두 긍정적 의미를 갖는다. 한마디로 자기영역에 대해선 절대적 관리를 뜻한다. ⟨내 인생의 해답⟩의 문장에서 '절대로'란 문장이 나왔듯이 이카드의 의미는 한마디로 절대적인 자기의 영역 관리라고 해석을 해본다.

오늘 하루 - 영화관람(범죄도시4)

오늘은 며칠 전에 예매한 영화 '범죄도시4'를 롯데시네마 11층에서 관람을 하고 나왔다. 예전에 이곳을 갔을 때는 내 스스로 입장권 교환기기에서 예매번호를 입력했으나 자꾸 오류가

206

나와서 팝콘매장에 있는 한 청년의 도움을 얻어서 종이 입장권으로 바꾸었다. 그래서 이번에는 직접 그곳에 있는 종업원에게 가서 종이 입장권(入場券)을 발급받아 영화관으로 입장하였다. 조조 영화라 그런지 사람들이 그렇지 많지는 않았다. 약 30명 정도였다. 영화가 맨 처음 등장했을 때 보다 계속해서 속편이 이어질수록 점점 재미가 덜한 것 같았다. 아울러 구성뿐만 아니라 여러가지로 조금씩은 뭔가 부족한 것 같았다.

그리고 아침타로 카드가 '4. 황제'였는데 내가 본 영화가 '범죄도시 4' 둘다 4가 공통적인 숫자인데 무슨 공통점이 있는 것은 아닌지 하는 생각이 얼핏 든다. 또한 황제는 자기 영역 관리를 절대적으로 하는데 이 영화에 나오는 조직폭력배도 자기의 영역(營域)을 철저하게 관리한다. 이 또한 공통점이 되는 것이 아닌지 하는 말도 안되는 연계성을 가져본다.

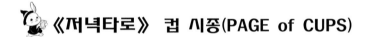 《저녁타로》 컵 시종(PAGE of CUPS)

키워드 및 의미
- **호기심, 감정교류, 직관이 뛰어난 사람, 새로운 소식**
- 아직 정제되고 성숙하지 않은 **감정적 충동**
- 주변 분위기와 감정에 영향을 많이 받으며 자신의 감정을 숨기지 않는다.
- 어떤 상황이나 인물에 **집중**하고 있는 인물로 상징.

교훈(오늘)· 통찰(내일)

카드 그림 자체에도 나와 있듯이, 어떤 상황(狀況)이나 인물(人物)에 집중하고 있는 것을 나타내는 '컵 시종' 카드이다. 이 카드를 보면서 불현듯 생각나는 것이 카톡 상대편(그놈)과 벌어진 상황(狀況)이나 인물(人物)에 매몰(埋沒)되었던 하루가 아니었나 하는 생각이 든다. 또한 저녁에 화장실 변기 누수(漏水) 때문에 지속적으로 소리가 나고, 수도관 계량기의 톱니바퀴같이 생긴 것이 물을 사용하지 않는데도 계속 돌아가기 때문에 관리사무소(管理事務所)를 찾아가고, 집 앞에 위치한 철물점(鐵物店)을 찾아가고 하여 상황을 가까스로 마무리하였다. 이런 모든 상황이 오늘은 집안에서 일어나는 모든 것에 집중하라는 것 같다. 이 카드가 보여주고 의미하는 것 같다.

With PAPAGO
절대(絕對)로
absolutely

☾ 타로카드는 우리의 내면과 외면의 세계를 조화롭게 이어줍니다.

208

2024년 4월 30일 화요일

TAROT CARD	
아침 타로	저녁 타로
완드 8	완드 10

《아침타로》 완드 8

키워드 및 의미

- **신속함**, 확실한 목적을 향해 빠르게 질주함.
- 적극적으로 움직여서 해결해야 함. **급하게 움직임**, 서둘러야 할 시기

- **민첩함, 주변과 호흡을 맞춤, 동일한 방향과 목표**
- 체계를 잡은 가운데 최선을 다하라.

에너지 · 초점

'완드8' 카드는 처음 나왔다. 이 카드는 확실한 목적을 향해 빠르게 움직이고 체계적으로 최선을 다 하라는 것이다. 오늘은 이런 의미를 가지고 에너지를 집중하라는 뜻인 것 같다. 아무튼 체계적으로 최선을 다하는 마음을 가져야 할 것 같다.

The Book of Answers 〈내 인생의 해답〉

동요가 일 것이다.

오늘 하루 - 걷기 운동

아침에 예전과 같이 We've The State 2층 탁구장으로 갔다. 오늘은 레슨(Lesson)이 있는 날이다. 전 시간에 이어서 드라이브에 관한 지도를 받았다. 특히 백핸드 드라이브를 하기 위한 기본적인 것들을 단계를 나누어 배웠다. 그런데 코치선생님의 지도는 내가 유튜브에서 보았던 유명 탁구선수가 말하는 지도와는 조금 다른 면이 있는 것 같았다. 전반적인 방향들은 같은데 아주 미세한 부분에서 약간의 차이가. 선수들마다 그것을 자기

화 시키는데 조금씩은 다른 것 같다. 사람의 몸의 구조(체형)가 모두 다르기 때문인 것 같다. 아무튼 짧은 시간 동안 레슨(Lesson)을 받고 이후 시간은 회원들과 복식 게임을 즐겼다. 탁구는 나이 들어서도 할 수 있는 꽤 괜찮은 운동이고 재미를 느낄 수 있는 운동이다. 아침에 탁구장까지 가는 도중에 82계단을 갈 때마다 매번 걸어올라 갔는데 반복적으로 올라가서 그런지 예전보다 오늘은 그렇게 힘들지는 않았다. 역시 운동은 지속성이 필요한 것 같다.

《저녁타로》 완드 10

키워드 및 의미

- **매우 힘든 상태**, 고생, 힘겹다. 벗어나기 어려운 **무거운 압박**
- 모든 일을 **혼자서 다 감당**해야 한다. 지금 당장 힘들지라도 시간이 지나면 해결될 문제를 의미
- 주도적이고 적극적으로 임한다. 항상 **온힘을 쏟는다.**
- **남에게 못 맡기는,** 모든 것에 신경씀.

교훈(오늘)· 통찰(내일)

'완드 10' 카드는 대표적인 상징이 '힘겹다'는 것이다. 이것은 누가 맡긴 것이 아니라 스스로가 담당한 것이다. 즉 이 일은 혼자서 다 감당해야 한다는 것을 의미한다. 지금 당장 힘들지라

도 시간이 지나면 해결될 문제를 의미하므로 시간의 흐름을 지
켜봐야겠다. 시간이 지나서 깔끔히 해결됐으면 하는 기대를 가
져본다. 언뜻 카톡 상대편(그놈)과 나의 현 상황을 말하는 것 같
디도 하다.

With PAPAGO
동요가 일 것이다.
There is going to be a stir.

☾ **타로카드는 우리의 내면과 외면의 세계를 조화롭게
이어줍니다.**

하루읽기

5월

☾ 타로카드는 우리의 내면 세계를 비추는 거울이다.

- 폴 포스터 케이스 -

2024년 5월 1일 수요일

TAROT CARD	
아침 타로	저녁 타로
 VIII 	 KNIGHT of PENTACLES.
검 8	펜타클 기사

 ## 《아침타로》 검 8

키워드 및 의미

- **제한된 사고**, 동일한 문제나 생각에 갇혀 있을 수 있다.
- * 조절능력, 생각이 너무 많아, 현재 상황을 조절할 능력을 상실함. **아무것도 할 수 없다. 답답하다.**

* 본인이 스스로에게 내린 **생각의 형벌**

* 이 카드가 나타났을 때 누군가 새로운 생각이나 관점을 제시해 주는 것만으로도 상황이 해결되기도 함.

The Book of Answers 〈내 인생의 해답〉
확실하다.

에너지 · 초점

이 카드 '검 8'의 상징적 의미는 본인의 생각에 갇혀, 본인 스스로에게 내린 '생각의 형벌'로 상황을 조절할 능력을 상실한 것으로 본다. 너무 많은 갇혀 있는 생각이므로 새로운 생각이나 관점을 제시해 주는 것이 필요한 것 같다.

오늘 하루 - 이것 저것 ~

오늘 오전에는 집사람과 쇼핑을 빠르게 마치고 집으로 돌아왔다. 그 후 나는 자동차 엔진오일을 교환하기 위하여 자동차 보험회사와 협약을 맺고 있는 Auto Oasis 약대점으로 갔다. 엔진오일을 최소 1년에 한번씩 교환을 하는데 작년 보다 꽤 가격이 오른 것 같다. 아울러 바퀴 휠 발란스를 검사 후 앞/뒤 바퀴를 크로스로 바꾸어 교체했다. 그리고 S-oil에서 주유를

50,000원어치 넣고 집으로 왔다. 오만원 이상 넣어야 할인을 해 준다고 하여 그렇게 했다. 점심 식사 후 먹던 약(藥)이 거의 다 떨어져서 동네 내과로 가서 처방전(處方箋)을 받고 콜레스테롤 관련 리바로정 1mg을 조제(助劑)받아 가지고 집으로 왔다.

《저녁타로》 펜타클기사
(KNIGHT of PENTACLES)

키워드 및 의미

- 지속적으로 발전 가능한 **안정성**, 꾸준하게 무언가를 획득해 나가고자 한다면 최고의 카드
* 가진 것을 **지켜나가는** 성향, 인정과 발전, 성장 가능성과 확장, 서두르지 않고 계획대로 진행한다.
* 주어진 일을 **책임감을 갖고 수행**한다. 주어진 범주 안에서 주체성을 가진다.
* 자신이 위치한 상황을 그대로 **유지하는 것**을 최우선으로 삼는 인물.

교훈(오늘)· 통찰(내일)

'펜타클 기사'의 상징적 의미는 주어진 일을 큰 변화없이 주어진 범주 내에서 꾸준히 무엇인가를 획득해 나가고, 가진 것을 지키고, 주체성을 가지며 안정과 발전을 꽤하는 것을 최우선으

217

로 하는 것을 나타내는 카드이다. 즉 꾸준히 최선을 다해서 노력하라는 뜻인 것 같다.

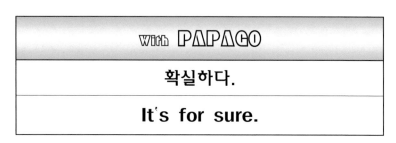

With PAPAGO

확실하다.

It's for sure.

오늘의 타로

아침 타로카드	저녁 타로카드

검 8	펜타클 기사

2024년 5월 2일 목요일

TAROT CARD	
아침 타로	**저녁 타로**
검 여왕	**검 5**

 ## 《아침타로》 검여왕(QUEEN of SWORDS)

키워드 및 의미

- 마음을 닫고 **경계하는 사람, 외로운 사람**, 마음을 쉽게 열지 못하는 사람.
- 감정을 억누르고 **합리적인 판단과 행동**을 택한다

- **냉정하고 단호**하며 적극적이지 않다. 자신의 생각 그리고 뜻과 다를 경우 단호하게 끊어버린다.
- 당장 처한 현실을 막는데도 급급하다. 현실적 문제가 그녀를 그렇게 만들었다는 사실.

The Book of Answers 〈내 인생의 해답〉

의심의 여지도 없다.

에너지 · 초점

이 카드는 마음을 굳게 닫고 경계하며 자신의 생각이나 뜻과 다를 경우 단호하게 끊어버린다. 당장 처한 현실을 막는데 급급하며 현실적 문제가 그 원인이 있다는 것. 그래서 마음을 쉽게 열지 못하는 사람을 나타낸다. 오늘 하루가 이런 방향으로 흐를지는 두고 보아야겠다.

오늘 하루 - 평범한 하루

오늘은 레슨이 없는 날이라서 예전과 마찬가지로 회원들과 탁구게임(복식)을 열심히 하고 집으로 돌아왔다. 평범한 아무일 도 없는 무사한 날이었다.

 **《저녁타로》 검 5**

키워드 및 의미

- **힘의 불균형, 실질적인 불이익**, 싸움에서 졌다.
- 승자도 패자도 없음. 대부분 패자일 가능성이 높다.
- **확실하게 승패가 갈린 상황, 패배**, 여지없음, 즉각적임
- 갈등의 결과, **마음을 다 내려놓은 상태**

교훈(오늘)· 통찰(내일)

확실하게 승패가 갈린 갈등의 결과, 패배 또는 비열한 승리, 마음을 다 내려놓으라는 의미의 카드이다. 그런데 이 카드는 자주 나오는데 그것은 갈등의 결과가 반복적으로 나타난다는 의미인 것 같다. 이 카드가 나올 경우에는 마음을 다 내려놓고 상황을 마주하라는 것 같다.

With PAPAGO
의심의 여지도 없다.
There is no doubt about it.

☾ 타로카드는 우리의 내면 세계를 비추는 거울이다.

2024년 5월 3일 금요일

TAROT CARD	
아침 타로	저녁 타로
3. 여 황제	5. 교황

 ## 《아침타로》 3.여황제(THE EMPRESS)

키워드 및 의미

- **정신적 물질적 풍요. 번영, 안정적 상황, 편안함, 모성애**
- 주변환경(사람)과의 결속과 상호 의존
- 확정한 시기에 구체적이고 **실체적인 행운**이 있다.

또한 반드시 감시해야 할 대상이 있다.

- 눈에 보이기 시작함. 적절한 타이밍.

The Book of Answers 〈내 인생의 해답〉

힘을 아껴라

에너지 · 초점

대표적인 풍요로움, 번영의 상징적 카드이다. 오늘의 하루가 대체적으로 이렇게 이루어졌으면 하는 바람이다. 물론 부여받은 풍요로움이기 때문에 스스로의 노력으로는 힘들지만 주변환경이 이렇게 되었으면 하는 바람이다.

오늘 하루 - 경찰서 방문

오늘은 카톡 상대편(그놈)의 극단적인 불량스런 태도에 대한 불만으로, 고소장을 접수할까 하는 생각으로 집 근처에 위치한 경찰서를 찾아갔다. 거기서 근무하는 사람들(경찰)에게 여러 가지 의문 사항을 물어보았다. 그 사람들의 여러 가지 조언을 듣고나니 조금이나마 실마리를 찾았다고 할 수 있겠다. 이 분들한테서 들은 조언 중에서 직접 관계되는 말을 나의생각을 담아 카톡으로 문자를 전달하니 상대편(그놈)에게 많은 영향력이 작용했음을 알 수 있었다. 이것은 여황제 카드에 나오는 감사의 대상자 즉 나에 대한 고마움을 느껴야 한다는 해석 같았고, 또한 내가 아닌 또 다른 영향력 있는 무엇이 그놈에게 작용되었을 것이라는 나의 생각이다. 카드에 나와 있는 것처럼 이성과 감정을 잘 다스려야만 했다. 그래야 더욱 좋은 결과가 도출될 것이다.

또한 이것과 관계가 전혀 없지만 카톡으로 내가 쓴 책 '교직 생활이야기', '짧은 순간 시절 인연 이야기' 이렇게 2권이 팔렸다고 출판사로부터 연락을 받았다. 좋은 소식이었다. 오늘 하루도 이렇게 체험하고 구성되었다.

 ## 《저녁타로》 교황(THE HIEROPHANT)

키워드 및 의미

- 언제나 문제를 해결 할 수 있는 **열쇠**를 가지고 있다. 오래지 않아서 그 문제가 풀리게 될 것이다.
- **중재자, 멘토, 신중한, 지속성, 규범**
- 자신의 신념이 굳건하고 이를 삶에서 실천하며 살아간다
- 교황은 세속적 권력이 필요했지만 권력 뒤로 물러났기 때문에 어쩔 수 없이 세속의 힘과 손을 잡게 된다

교훈(오늘)· **통찰**(내일)

이 카드는 자신의 신념이 굳건하고 이를 삶에서 실천하며 살

아가는 정신적 중재자이지만 현실(現實)에서는 현실적인 힘이 필요하기 때문에 어쩔 수 없이 세속(世俗)의 힘을 빌리게 되는 카드로 해석된다. 오늘 하루 일어난 상황에서도 정신적으로 아무리 좋은 생각과 영향력을 주려고 해도 현실적인 구속력(拘束力)이 있는 법적인 힘이 더욱더 큰 영향력(影響力)이 발휘되는 것 같다. 또한 〈내 인생의 해답〉 '힘을 아껴라' 라는 문장이 떠올라서 그대로 감정대로 하려고 하다가 다소 속도를 늦춰 보았다. 잘했다는 생각이 든다.

그렇지만 현실에서는 현실(現實)에 맞는 방법(方法)을 선택하는 것이 지혜로운 생각과 행동인 것 같다.

with PAPAGO
힘을 아껴라
Save your energy

☽ 타로카드는 우리의 내면 세계를 비추는 거울이다.

2024년 5월 4일 토요일

TAROT CARD	
아침 타로	저녁 타로
검 10	펜타클 5

《아침타로》 검 10

키워드 및 의미

- **종결(강제적)**, 특정 상태의 종결이자 동시에 존재가 변형되는 전환점. 상황을 종결시키고 새판을 얻는 것만이 답이다.
- **이미 끝나버린 상황**, 새로운 출발이 가능한 것. 산만하고

정신이 없다

- **문제에 휘둘림. 통제불능**, 급급한 일처리.
- 부정적 생각이 현실로 드러남. **현실에서 일어난 상처,
  생각의 종결.**

The Book of Answers 〈내 인생의 해답〉

당신 일에 집중하는 편이 나을듯

에너지 · 초점

이 카드도 종종 나온다. 이것은 생각이 너무 많아 생각할 수 없음을 뜻하는 것 같다.

즉 문제에 휘둘리고, 통제 불능, 부정적(否定的) 생각들이 현실로 드러나고 등등. 그러기 때문에 상황을 종결시키고 새판을 짜서 새로운 출발을 하는 것이 답이다. 즉 〈내 인생의 해답〉에 나온 문장처럼 내일에 집중하는 편이 나을 것 같다는 해석이 나온다. 이런 상황을 쭉 살펴볼 때 아직도 어제 일어났던 상황에 대한 것들과 현재의 머리 속에 들어있는 생각들이 나타난 것으로 인식된다. 아마도 내가 이와 관련된 생각들이 쭉 진행되고 있었던 것 같다. 그래서 오늘은 관련된 모든 생각을 종결시키고 내일에 집중하라는 뜻 같다. 또한 잇몸치료 때문에 지속적으로 걱정해 왔는데 거의 완쾌가 되어가는 것 같아 이런 모든 걱정스런 생각을 종결시키고 생각의 문제를 전환(轉換)시키라는 암

시를 나타낸 것이라고 본다. 너무 많은 생각은 아무 생각을 못하게 만드는 것 같다. 가끔은 잠시라도 아무런 생각을 하지말고 멍 때리는 것도 필요한 것 같다..

오늘 하루 - 짱모님댁 방문(수유리)

아침에 일찍 일어나 우리동네 주변에 있는 감자탕집인 대청마루에 가서 장모님이 좋아하시는 감자탕을 사 가지고 서울 수유리 장모님 댁으로 향했다. 차들이 그렇게 많지 않은 것 같은데도 2시간이 훨씬 넘게 걸렸다. 오늘은 요양보호사가 오지 않는 날이라 이것저것 점심 식사 전/후 집사람이 분주하였다. 장모님이 거동이 불편하셔서서 일을 할 수 없었기 때문이다. 장모님께서 요사이 밥이 맛이 없다고 하셔서 감자탕에 있는 고기만 드셨다. 점점 나이가 들수록 밥맛이 없어지는 것 같다. 아마 나도 그럴 것인지는 그때 가봐야 알겠지만 말이다. 어느 정도 시간을 갖은 후 집사람이 들를 곳이 있다고 하여 조금 일찍 집으로 왔다. 이렇게 하루가 빨리 지나갔다.

 《저녁타로》 펜타클 5

키워드 및 의미

• **물질적인 빈곤과 궁핍**. 삶에 찌들어서 힘들다. 아직 도움을 받을 때가 아님. 급하게 움직여야 할 상황

228

- 결과가 나지 않고 주변상황이나 환경의 **도움을 받지 못하고 있다.**
- 현실적으로 **힘든 상황을 유지**, 어려운 현실 속에서 관계유지

교훈(오늘)· 통찰(내일)

'펜타클 5'는 카드 그림에서도 보여주는 것처럼 현실적으로 어려운 상황임을 유지하는 것을 나타내주는 카드이다.

또한 주변(周邊)의 상황(狀況)이나 환경(環境)에 도움을 받지 못하고 있는 것을 명백히 보여주고 있다. 과연 이 의미는 어떤 상황을? 누구를? 나타내고 있는지 가늠이 잘 안된다. 아니면 장모님의 연로함에 있어서 세월의 흐름. 즉 늙어감 그것도 많이 연로한 상황에서 죽음 앞으로 다가감에 누구도 도와줄 수 없는 상황을 표현한 것은 아닌지 알 수가 없다.

with PAPAGO
당신 일에 집중하는 편이 나을 듯
I think you'd better focus on your work

☾ 타로카드는 우리의 내면 세계를 비추는 거울이다.

2024년 5월 5일 일요일

TAROT CARD	
아침 타로	저녁 타로
완드 8	펜타클 7

《아침타로》 완드 8

키워드 및 의미

- **신속함. 확실한 목적을 향해 빠르게 질주함.** 긍정도 부정도 아님

- **민첩하게 상황에 맞춰서 행동함.** 의지가 유지될 것을 보장할

수 없음.

● 행동에 대한 **결과가 있음.** 단순한 바쁨이 아니라 단계적으로 해야 할 일이 많이 있어 계획있는 바쁨. 일들을 해결할 수 있는 시작이 됨.

The Book of Answers 〈내 인생의 해답〉
더 신중하게 귀를 기울여라,
그러면 알게 될 것이다.

에너지 · 초점

'완드 8' 이 카드의 그림을 보면 완드가 모두 같은 방향으로 땅을 향해 일제히 날아가고 있다. 그러므로 이것은 어떤 확실한 목표를 향한 것이고 날아간다는 시작을 말함이요 그러기 때문에 이 행동에 대한 결과가 확실히 있음을 나타냄이다. 또한 하늘에서 날아간다는 것은 매우 신속함을 의미한다고 본다. 즉 목적을 향해 신속하게 행동함을 뜻한다. 그래서 〈내 인생의 해답〉과 연결시켜 보면 행동하되 더 신중하게 귀를 기울여 행동하면 알게 된다고 볼 수 있다. 즉 행동하되 신중히 행함을 뜻한다.

오늘 하루 - 하루종일 비

오늘은 유난히 하루 종일 비가 내려서 집에서 이것 저것하며 하루를 보냈다. 아주 밋밋한 하루였다. 내일도 계속해서 비가 내린다고 한다. 오늘과 마찬가지인 내일이 될지...

《저녁타로》 펜타클 7

키워드 및 의미

* 지금은 **실현되지 않은 가치.**
* **현재 상황에 만족하지 못하는 마음.** 의뢰받은 일을 완수하는 책임감. 반복적인 일을 한다.
* 원하는 결실을 맺지 못하는 이유는 개인의 능력 부족이 아니라 내 힘으론 100% 통제할 수 없기 때문.
* 곧 **실현될 미래의 가치,** 바라는 것이 손에 들어오기를 기다리는 기대와 욕심

교훈(오늘)· 통찰(내일)

이 카드를 보는 순간 카톡 상대편(그놈)이 불현듯 생각났다. 즉 지금은 전부가 실현되지 않은 가치이고 또한 현재 상황에 만족하지 못하지만 그것은 개인의 능력 부족이 아니라 내 힘으로 100%를 통제할 수 없기 때문이다. 이것은 만족적인 일로 시간이 지나면 곧 실현될 미래의 가치에 대한 것으로 해석된다. 물론 다 실현될지는 미지수이지만 거의 실현될 것이라 기대해 본다. 노력(努力)에 따라...

with PAPAGO

더 신중하게 귀를 기울여라, 그러면 알게 될 것이다.

Listen more carefully and you will know

232

2024년 5월 6일 월요일

TAROT CARD

아침 타로	저녁 타로
PAGE of CUPS.	QUEEN of CUPS.
컵 시종	퀸 컵

《아침타로》 컵 시종(PAGE of CUPS)

키워드 및 의미

- 아직 절제되고 성숙하지 않은 **감정적 충동**

  (좋으면 좋은 것이고, 싫으면 싫은 것이다)

- **직관이 뛰어난 사람, 새로운 소식,** 관계의 회복, 유혹
- 주변 분위기와 감정에 영향을 많이 받으며 자신의 **감정을 숨기지 않는다.**
- 어떤 상황이나 인물에 **집중하고 있는 인물**

The Book of Answers 〈내 인생의 해답〉

실패할 리 없다.

에너지 · 초점

컵 시종카드는 강한 호기심으로 아직 정제되고 성숙지 않은 감정적 충동을 상징적으로 나타내주는 카드이다. 또한 이것은 새로운 어떤 상황이나 감정에 영향을 많이 받는 것으로 해석하고 싶다. 과연 오늘은 어떤 새로운 상황과 소식으로 호기심이 발동될지 아니면 그냥 지나갈지 궁금하다.

오늘 하루 - 간단한 쇼핑

오늘 비도 오고 그래서 집에 쭉 있으려고 하는데 이마트에서 세일 마지막 날이라고 하여 집사람과 쇼핑을 간단히 하고 돌아왔다. 그리고 쭉 집에서 백수 생활 유지함.

 《져녁타로》 컵여왕(QUEEN of CUPS)

키워드 및 의미

- 적극적이지 않은 방식으로 주목받고 주변에 영향을 끼침.
  내적으로 몰입하는 경향
- 자신의 감정을 풀어내지 않는, **속을 알 수 없는 여자.**
  마음을 준 것에는 깊이 연결, 한번 마음주면 쉽게 못 벗어남
- 외부와 단절한 채 지키려 하는 **감정에 집중**함
- 사랑과 감성이라는 통합적 감정이 우선시 되는 카드

교훈(오늘)· 통찰(내일)

이 카드 '컵 여왕(QUEEN of CUPS)' 는 자신의 감정을 드러내지 않는 속을 알 수 없음을 나타내는 상징적인 카드이다. 속을 너무 쉽게 드러내지 말라는 카드의 표현 같다.

with PAPAGO
실패할 리가 없다.
There is no way of failure.

☾ 타로카드는 우리의 내면 세계를 비추는 거울이다.

2024년 5월 7일 화요일

TAROT CARD	
아침 타로	저녁 타로
XXI THE WORLD.	III
21. 세계	검 3

 ## 《아침타로》 21. 세계(THE WORLD)

키워드 및 의미

- **완전함의 실현**. 영원불멸의 안정적인 가치를 추구하는 상황
  에서는 매우 기쁜일. 변화와 도전의 상황에서는 모든 가능성
  을 막음

- 모든 것이 마무리 되고 다 갖춰진 상황에서 새출발.

하나의 **사이클이 완성. 최종목표 도달.** 성공

- 삶의 **패턴을 유지하는 경향**이 강함. 예상치 못한 것에 대한 거부감으로 나타남.

- 깨달음을 통한 세계의 완성. **상황이 일단락 됨.** 결과에 대하여 스스로 만족하게 됨

The Book of Answers 〈내 인생의 해답〉

쾌쾌묵은 방법들은 과감히 버려라

에너지 · 초점

이 카드 '21.세계(THE WORLD)' 는 하나의 상황(狀況)이 일단 락되며 결과에 대하여 스스로 만족한다. 또한 이것은 삶의 패턴을 유지하는 경향이 강하므로 안정적인 가치 추구를 하는 상황에서는 매우 기쁜 일이지만 변화와 도전의 상황에서는 모든 가능성이 막혀서 거부감으로 나타날 수 있다. 하지만 다 갖춰진 상태이므로 새 출발을 해야 한다는 해석이 나온다.

오늘 하루 - 평범한 일상

오늘도 지극히 평범한 하루였다. 탁구(卓球)게임, TV시청, 유튜브 시청 등을 하며 하루를 평범(平凡)하게 보냈다.

 **《저녁타로》 검 3.**

키워드 및 의미

- 이성적인 판단과 결정으로 인하여 **감정이 고통받는 경우**
- 이미 **확실해진 생각**, 복잡한 생각이 정리된 것
- 객관적인 사실, 진리에서 우리는 도망칠 수 없다
- 상처의 치유는 마음먹기 달렸다. **스스로 만든 상처**에 빠진다

교훈(오늘)· 통찰(내일)

'검 3'은 객관적인 판단과 결정으로 인하여 감정이 고통을 받지만 상처의 치유는 마음먹기 달렸다. 그러므로 복잡한 생각이 확실해 졌으며 생각이 정리된 것으로 해석할 수 있다. 감정 (感情)을 다스리라는 교훈(敎訓)이라고 볼 수 있다.

with PAPAGO
쾌쾌묵은 방법들은 과감히 버려라
Throw away the good old ways

☾ 타로카드는 우리의 내면 세계를 비추는 거울이다.

2024년 5월 8일 수요일

TAROT CARD	
아침 타로	저녁 타로
검 5	20. 심판

《아침타로》 검 5

키워드 및 의미

- **패배**, 싸움에서 졌다.
- 불공평함에서 오는 **불이익**
- **확실하게 승패가 갈린 상황.**

  일이 빠르게 흘러가고 상황이 깔끔하게 결정남

• **갈등의 결과**. 구체적으로 결과가 드러났을 경우

에너지 · 초점

이것은 확실하게 갈등의 결과 즉 승/패가 갈린 상황을 의미하며 일이 빠르게 흘러가고 상황이 깔끔하게 정리됨을 뜻하는 카드이다. 오늘 하루 무엇이 이렇게 될지? 이 상황에 초점이 맞춰질지 궁금하다.

오늘 하루 - 치과치료

오늘은 치과치료를 받는 날이다. 그리고 바로 이 결과에 따라 결정하는 날이다. 즉 임플란트를 할지? 아니면 그대로 현 상태로 치아를 사용할지를 결정받으러 가는 날이다. 예약된 시간에 맞춰서 병원에 도착했다. 기다리는 사람들이 꽤 많이 있었다. 내 차례가 되어 진료실로 들어가 간단한 치료만 받고 불편하면 언제라도 오시고 아울러 꼭 치간 치술을 꼭 사용하라는 의사선생님의 말씀을 듣고 진료실에서 나왔다. 다행이다. 아직은 그대로 사용해도 된다는 결정인 것 같다. 한숨 돌렸다. 그런데 저번 잇몸치료 때 깊숙이 치료해서 그런지 아직은 치아가 완전한 상태는 아니다. 완전해질 때까지 시일이 좀 걸릴 것 같다. 정말

치아 관리를 신경써서 잘 관리 해야겠다는 생각이 뇌리 깊숙이 박혔다. 왜 진작에 젊었을 때부터 관리했으면 이렇지 않았을텐데. 오늘 '검5' 카드가 나온 것도 오늘 치과 치료의 결과를 말한 것 같다는 생각이 든다.

 ## 《저녁타로》 20. 심판(JUDGEMENT)

키워드 및 의미

- **최종적 판결**. 변화의 때가 되었음을 알다.
- 심판의 준비를 위해 내면을 성찰하고 **변화할 준비**하라
- 모든 것이 드러나고 **확실한 상황**이 펼쳐진다.
- 최선을 다한 후 **결과**를 기다리는 카드

교훈(오늘)· 통찰(내일)

'20.심판' 카드는 최선을 다한 후 결과를 기다리는 카드, 모든 것이 드러나고 확실한 상황이 펼쳐진다는 의미의 카드, 최종적 판결을 하는 카드이다. 그래서인지 오늘 치과치료의 최종결과를 결정하는 날 이었다. 다행히 긍정적 결과였다.

with PAPAGO
그것이 당신에게 얼마나 중요한지 누군가에게 말하라
Tell someone how Important it is to you

2024년 5월 9일 목요일

TAROT CARD	
아침 타로	저녁 타로
펜타클 2	펜타클 시종

《아침타로》 펜타클 2

키워드 및 의미

- **균형**. 현상을 유지하기 위한 노력이 계속해서 필요한 상황
- 무한 가능성. 현재의 상황이 나쁘지 않음. 즐거움이 하나더 생겨서 더욱 즐거움
- **변화되는 상황과 현상**을 온힘을 다해 다루고 있다.

• 불안한 펜타클의 **순환적 관계**. 집중하라

에너지 · 초점

 균형(均衡)을 이루려고 계속적으로 노력(努力)해라. 현재는 노력이 계속해서 필요한 상황이다. 그러면 즐거움이 생길 것이다. 오늘 하루 치우치지 말고 균형(均衡)을 맞추는 하루가 되도록 노력(努力)하자.

오늘 하루 - 평범한 하루

 특별하지 않은 일상적인 하루였다. 무사에 감사한 하루였다.

 《저녁타로》 펜타클시종(PAGE of PENTACLES)

키워드 및 의미

• 펜타클 슈트가 뜻하는 **모든 종류의 가치에 대한 지향성**, 구현되거나 실체화되는 가치, 실체화에는 정신적인 노력, 실질적인 노동, 시간, 자재, 자본 등

- 아직 미숙한 시종 계급이기 때문에 실질적으로 무언가를 소유하고 있거나 생산해내지는 못함
- 눈 앞에 **작은 즐거움에 만족**, 희망을 가지고 있다.
- **단순하며 성실하다**. 시야가 좁을 수 있다.
- **현실적 가치**에 조금 더 치중한다.

교훈(오늘)· 통찰(내일)

이 카드 '펜타클 시종(PAGE of PENTACLES)'은 아직은 미숙하고 실질적으로 무언가를 소유하고 있거나 생산해내지 못하므로, 모든 종류의 가치에 대한 지향성이 구현되거나 실체화되는 가치이므로 희망을 가지고 있다. 아직은 눈앞에 작은 즐거움에 만족한다는 뜻을 나타내는 카드이다.

With PAPAGO
실행에 옮기면 좋아질 것이다.
It will get better if you put it into practice

☾ 타로카드는 우리의 내면세계를 비추는 거울이다.

2024년 5월 10일 금요일

TAROT CARD	
아침 타로	저녁 타로
	THE EMPRESS.
완드 5	3. 여황제

《아침타로》 완드 5

키워드 및 의미

- **분쟁, 의견 다툼, 투쟁**, 큰일을 해결해둔 다음의 세부조정
- 스스로의 상황, 각자 다른 방향성을 가진 생각들
- 서로 **의지가 충돌함**. 다른 '5 카드'들은 손해, 손실, 패배 등이 확실하게 드러나나 이것은 그렇지 않음

• **갈등이 표면화**되었으며 구체적으로 드러남

The Book of Answers 〈내 인생의 해답〉

지지를 받게 된다.

에너지 · 초점

'완드 5' 카드는 여러 가지 생각들이 서로의 방향성(方向性)을 가지고 충돌하며 표면화(表面化)되고 구체적으로 드러난다는 의미의 카드이다. 어떤 여러 가지 생각들이 갈등(葛藤)을 일으킬지 궁금하다. 어떤 생각으로 지지를 받아 방향성이 정해질지 또한 기대된다.

오늘 하루 - 영화감상(혹성탈출4)

핸드폰 안에서 이곳저곳을 서핑(surfing)을 하다 한 영화 포스터가 눈에 띄었다. 어려서 본 혹성탈출(주인공-찰톤헤스톤) 뿐만아니라 최근에 본 혹성탈출 시리즈가 생각나서 '혹성탈출 4'를 보러 롯데시네마로 향했다. 다소 기대감을 가지고 갔으나 기대감에 못미쳐 조금은 실망했다. 구성, 내용, 스토리텔링, 모두 그냥 그랬다. 몇 년 전에 본 '혹성탈출(진화의 시작)'은 매우 흥미로웠고 재미있게 보았는데. 역시 영화는 처음 각본이 쓰여져 나온 첫 영화가 제일 좋은 것 같다.

《저녁타로》 3.여황제(THE EMPRESS)

키워드 및 의미

- 특정한 시기에 구체적이고 실체적인 **행운**이 있다. 반드시 감사해야 할 대상이 있다.
- 화려하고 풍요로운 여제는 어느 영역에서나 한껏 매력적이기 때문에 이런 힘을 가진 사람은 **자신의 능력을 발산**함
- **편안함, 정신적, 물질적 풍요로움, 만족스러운 상황**을 맞이함
- 자신의 매력을 이용 주변의 힘을 자연스럽게 끌어들이고 이용함

교훈(오늘)· 통찰(내일)

이 카드는 자신의 매력을 이용해서 주변의 힘을 자연스럽게 끌어들여 편안함, 풍요로움, 만족스러운 상황을 맞이함을 나타내는 카드이다. 아무튼 안정적이고 풍요로운 카드이다.

'3. 여황제' 카드는 오늘 내가 영화를 본 원인(매력)이 된 동기를 나타내주는 뜻인가 하는 나만의 생각이 든다.

with PAPAGO
지지를 받게 된다.
You will get support

2024년 5월 11일 토요일

TAROT CARD	
아침 타로	저녁 타로
QUEEN of WANDS.	THE WORLD.
완드 여왕	21. 세계

 ## 《아침타로》 완드여왕(QUEEN of WANDS)

키워드 및 의미

- 거침없는 자기표현, **강한 자기확신**
- 열정과 에너지가 주변으로 뻗어나가고 함께 하기를 원한다. 의지가 강하고 주변을 신경쓴다.
- 능력 있는 사회적 활동이 왕성한 여자. 자격을 갖춘 여성.

가정과 사회활동을 동시에 잘 해내는 사람.

• **자존감이 굉장히 강한 인물**, 분명하지 않은 것을 싫어하고 말만 앞서는 것을 가장 싫어한다.

The Book of Answers ⟨내 인생의 해답⟩
당신은 별로 관심이 없다.

에너지 · 초점

이 카드의 상징은 능력 있는 여성으로서 거침없는 자기표현, 자존감이 강한 인물이다. 또한 분명하지 않은 것을 싫어하며 말만 앞서는 것을 가장 싫어한다는 것으로 해석될 수 있다. 오늘 이 카드의 해석이 어느정도 생활과 일치되는 경향이 있을지 궁금하다.

오늘 하루 - 하루종일 봄비

비가 지속적으로 내리고 특별히 외출할 일이 없어서 하루종일 집에서 머무르는 평범한 하루 였다.

 《저녁타로》 21.세계(THE WORLD)

키워드 및 의미

• **삶의 패턴을 유지**하는 경향이 강함. 상태의 고착이나 매너

리즘. **하나의 사이클**이 완성되다.

- 모든 일이 마무리되고 새로운 일을 하기 위한 **새출발의 단계**
- **한계, 안정,** 충분한, **완성,** 일상적인, 인간은 자기 세계 안에서 모든 것을 이해하고 받아 들인다.
- **상황이 일단락**된다. 결과에 스스로 만족한다. 마음은 편안해진 상태

교훈(오늘)· 통찰(내일)

이것은 안정, 삶의 패턴의 유지, 매너리즘, 하나의 사이클의 완성을 나타내는 카드로서 오늘은 하나의 사이클을 완성한 생활, 그대로 삶의 패턴을 유지하려는 경향을 나타내는 카드로 선택된 것 같다. 하루종일 집에 머무르는 것이 이 카드가 나온 것은 아닌지 하는 생각이 든다. 또한 〈내 인생의 해답〉에서 비슷한 문장이 나온 것 같다. '당신은 별로 관심이 없다' 그냥 시간 흐르는 대로 지낸다 그런 뜻인 것 같다.

With PAPAGO

당신은 별로 관심이 없다.

You are not very interested.

☾ 타로카드는 우리의 내면세계를 비추는 거울이다.

2024년 5월 12일 일요일

TAROT CARD	
아침 타로	저녁 타로
QUEEN of PENTACLES	WHEEL of FORTUNE.
펜타클 여왕	10. 운명의 수레바퀴

《아침타로》

펜타클 여왕(QUEEN of PENTACLES)

키워드 및 의미

• 주어진 환경에 만족하며 안온한 **평화**를 누림

• 물질적인 부분에서 **안정감**을 줌. **편안한 느낌**. 재물운이

251

좋아짐

● 지키고 유지한다. 관리를 잘한다. 신중하고 현 상태에 만족한다.

● **자신의 가치**를 밖으로 드러내는 인물. 돈을 써야할 때를 잘 알고 있는 인물

The Book of Answers 〈내 인생의 해답〉

마지막까지 초심을 잃지마라

에너지 · 초점

주어진 환경에 만족하며 물질적인 부분에서 안정감을 주고 유지 관리를 잘한다는 카드이다. 정말 오늘 하루가 이렇게 주어진 환경에 만족하며 안온한 평화를 누리길 기대한다.

오늘 하루 - 평범한 하루

오늘도 다른 날과 마찬가지로 평범한 하루 였다. 타로와 관련된 책을 만들기 위해 여러 가지 정보를 수집하고 구상을 하는 하루였다. 그밖에 글쓰기 관련된 책을 읽어보고, You-Tube 시청, TV시청 등을 하면서 하루를 보냈다.

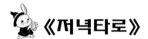 《저녁타로》

10. 운명의 수레바퀴(WHEEL of FORTUNE)

키워드 및 의미

• **흐름의 변화와 순환** 그 자체. 사람의 힘으로 어찌할 수 없는 세상의 흐름과 변화와 순환

• **시간의 연속성과 순환의 고리**, 운명적인 사건, 만남

• 운은 모든 만물을 움직이는 힘이며, 어떤 것도 운의 영향을 피할 수 없다. 끊임없이 변화하며 흥망성쇄를 일으킨다.

• **상황이 중요한 전환점**. 지금의 상황보다 앞으로의 상황이 긍정으로 펼쳐진다.

교훈(오늘)· 통찰(내일)

이 카드는 우주의 법칙대로 만물이 움직이며 변화와 순환 그 자체이다. 사람의 힘으로 어떻게 할 수 없는 순환이다. 사람의 힘으로 어떻게 할 수 없는 순환이다. 끊임없이 변화하며 흥망성쇄를 일을킨다는 해석이다. 즉 원인에 따라서 결과도 이루어 진다는 의미를 해석하고 싶다. 그래서 〈내 인생의 해답〉처럼 마지막까지 초심을 잃지 말고 꾸준히 노력하라는 뜻으로 받아들이고 싶다. 꾸준한 노력이 요구된다.

with PAPAGO
마지막까지 초심을 잃지마라
Don't lose your original intentions until the end

2024년 5월 13일 월요일

TAROT CARD	
아침 타로	저녁 타로
QUEEN of WANDS.	II
완드 여왕	컵 2

 ## 《아침타로》 완드여왕(QUEEN of WANDS)

키워드 및 의미

- 거침없는 자기표현
- **능력있는 여성**, 사회적인 활동이 왕성한 여성,
  자격을 갖춘 여성

- 열정과 에너지가 주변으로 뻗어나가고 함께 하기를 원한다.
- **능력있고 자존감이 굉장히 강한 인물**, 분명하지 않는 것을 싫어하고 말만 앞서는 것을 가장 싫어한다.

The Book of Answers 〈내 인생의 해답〉

망설이지 마라

에너지 · 초점

확실하게 자기표현을 하고, 분명히 하고 함께하기를 원한다는 의미의 '완드 여왕' 카드가 뽑혔다. 아무튼 오늘은 확실히 하라는데 방점이 찍혔다고 본다.

오늘 하루 – 탁구동호회 모임

오늘은 오전에 이것저것 하다가 오후가 되어서 탁구 동호회 모임을 계양구 효성동에 있는 탁구클럽에서 가졌다. 예전에 계산중학교에서 8명이 모임을 갖던 PingPongs가 장소가 여유치가 않아 이쪽 모임과 합쳤다. 인원이 약12명 정도 되었고 장소도 탁구클럽을 빌려서 모임을 하도록 정한 것 같다. 나도 이모임에 함께 한 것이 그렇게 오래되지는 않았지만 미리 아는 분들과 이모임에서 처음 만난 분들이 모두 섞여 있었다. 그럼에도 불구하고 좋아하는 운동으로 서로 만난다는 것은 좋은 인연을 만든 것 같다. 모두 다 좋은 분들이셔서 더욱 그러한 것 같았다. 이곳 정해진 탁구클럽에서 2시간 정도를 재미있게 즐겁게 탁구게임을 하고나서 저녁식사를 이 근처에서 유명한 김치찌개 전문점에서 아주 맛있게 함께 했다. 정말 즐겁고 행복한 시간이었다. 식사후 어느정도 이야기를 나누고 다음번 만날 날을 결정하고 각자 귀가하였다. 이렇게 하루라는 시간이 지나갔다.

《저녁타로》 컵 2

키워드 및 의미

- 두 마음이 정서적으로 **통합**되었음
- 서로 깊이 **감정을 교류**하면서 합일을 이루고 있음
- 두 사람의 감정을 교류함. **서로의 감정을 확인**하기 시작함
- 많은 종류의 **약속** 또는 **계약, 합의**와 **거래**를 모두 포함

> **교훈**(오늘)· **통찰**(내일)

이 카드는 정서적 통합, 감정의 교류 많은 종류의 약속이나 계약, 합의와 거래를 의미한다. 이것은 아마도 카톡 상대편(그놈)이 먼저 카톡이 와서 이렇게 저렇게 하겠다고 문자가 발송되어 왔는데 이러한 것들의 일종의 약속, 계약, 합의 같은 것이 아닐까 하는 생각을 해본다. 워낙 거짓말을 밥 먹듯이 하는 놈이라, 물론 나의 욕심이라고 생각이 들지만 아주 희미한 희망을 기대해 본다.

with PAPAGO
망설이지 마라
Don't hesitate

오늘의 타로	
아침 타로카드	저녁 타로카드

완드 여왕	컵 2

☾ 타로카드는 우리의 내면 쎄계를 비추는 거울이다.

257

2024년 5월 14일 화요일

TAROT CARD	
아침 타로	저녁 타로
![완드 5]	![펜타클 시종]
완드 5	펜타클 시종

 ## 《아침타로》 완드 5

키워드 및 의미

- 각자 **다른 방향성을 가진 생각**들, 치열하게 **고민**하며 **갈등**하는 상황
- **의견 다툼, 논쟁, 대립**, 세부조정

- 서로의 **의지가 충돌**한다. 부딪힐수록 강하게 표출
- 내부/외부적인 **갈등과 경쟁**

The Book of Answers 〈내 인생의 해답〉
기다려라

에너지 · 초점

'완드 5'는 의견 다툼, 갈등상황, 대립 등 서로의 의지가 충돌함을 나타내는 카드이다. 오늘의 에너지를 집중해야 되는 것이 이것인지? 어떤 상황인지? 궁금하다. 또한 〈내 인생의 해답〉에서는 기다리라는 문장이 나왔으니 카드와 문장이 서로 대립되는 것은 아닌지? 과연 오늘 상황은 어떻게 될지.

오늘 하루 - TV 시청 등

오늘도 예전과 마찬가지로 We've The State 2층 탁구장으로 가서 회원들과 탁구게임을 하고 레슨도 받고, 탁구반 반장이 사온 다과도 맛있게 먹고 매우 즐거운 시간이었다.

이후 집으로 와서 TV를 커보니 윤석열의 검사장 인사 문제가 TV보도를 도배했다. 야당에서는 김건희방탄을 아예 대놓고 한다고 했고, 여당에서도 지금 시기에 이렇게 하는 것은 오해받을 소지가 있다고 하였다. 아무튼 윤석열은 자기 마누라만 살리고 대한민국은 망쳐도 된다고 생각하는지. 하는 행동들을 보면 말이 아니다. 참 상식을 벗어나고 한심한 생각이 끊임없이 들었

다. 그러면 윤석열은 왜? 대통령을 했을까 하는 아주 상식적인 의문이 생긴다. 몰라도 너무 모르고, 무식해도 너무 무식하며, 무능해도 너무 무능하다. 서울대 법대는 어떻게 나왔지? 정말 보통 사람들의 일반적인 인식의 수준에도 못 미치는 것 같다. 또라이 수준이다. 정말 답답하고 울화통이 터진다.

《저녁타로》 펜타클 시종 (PAGE of PENTACLES)

키워드 및 의미

- 모든 종류의 가치에 대한 **지향성**.
- 작은 재물이나 즐거움을 눈 앞에 두고 있음
- 순간순간 **상황에 맞춰 대응**. 뚜렷한 현실적 목표가 있음. 목표가 없으면 현재 주어진 일에 집중함
- **현실적 가치**에 좀 더 치중. 무모한 계획을 세우지 않음

교훈(오늘)· 통찰(내일)

순간순간 상황에 맞춰서 대응하며 현실적 가치에 좀 더 치중함. 무모한 계획을 세우지 않는다. 뚜렷한 현실적 목표가 있고, 현재 주어진 일에 집중한다는 의미의 카드 이다. 오늘은 오늘 상황에 집중하라는 의미인 것 같다.

With PAPAGO
기다려라
Wait

오늘의 타로	
아침 타로카드	저녁 타로카드

완드 5	펜타클 시종

☾ 타로카드는 우리의 내면 세계를 비추는 거울이다.

2024년 5월 15일 수요일

TAROT CARD	
아침 타로	저녁 타로
X WHEEL of FORTUNE.	PAGE of CUPS.
10.운명의 수레바퀴	컵시종

 ## 《아침타로》 10.운명의 수레바퀴
(WHEEL of FORTUNE)

키워드 및 의미

- **운명.** 흐름의 변화와 순환, 개인이 어찌할 수 없는 큰 변화

- **시간의 연속성과 순환의 고리,** 운명적인 사연, 만남

- 운은 모든 만물을 움직이는 힘이며 끊임없이 변화하며 흥망성
  쇠를 일으킨다.

• 모든 상징이 하나의 세상(世上)에서 반복적(反復的)으로 일어나는 다양한 인생경로.

The Book of Answers ⟨내 인생의 해답⟩

상당한 노력이 요구될 것이다.

에너지 · 초점

이 카드는 세상에 나타나는 모든 상징은 끊임없이 변화하며 시간의 연속성과 순환의 고리 속에서 흥망성쇠를 일으킨다는 상징의 의미인 것 같다. 그러므로 나태하지 말고 꾸준히 노력하는 삶을 살라는 의미로 해석된다.

오늘 하루 - 스승의 날, 부처님 오신 날

오후에 비가 온다는 일기예보가 있어서 오전에 빨리 집사람과 쇼핑을 하고 왔다. 또한 오늘은 부처님 오신 날이라고 하는데 거리는 보통 때와 같았고 TV에서도 예전 같으면 불교에 관한 영화를 방영했을 텐데 그렇지 않았다. 그냥 평일과 같은 평범한 하루였다. 그런데 오늘이 마침 스승의 날이기도 하다. 예전과 완전히 달라진 스승의 날에 대한 글을 보며 씁쓸한 스승의 날을 되새겨 본다.

지인이 보내준 '스승의 날 유감'이라는 글을 적어보고자 한다. 이 글은 서울 공립 중학교 교사 10년 차인 A씨가 적은 글이

263

라고 한다.

올해는 '스승의 날'인 5월15일이 법정 공휴일인 '부처님 오신 날'과 겹쳐 학교에 가지 않아도 된다며 안도의 한숨을 쉬었다. 부정청탁 및 금품 등 수수의 금지에 관한 법률(부정청탁금지법) 시행으로 작은 선물도 일절 받을 수 없는 만큼 스승의 날에 학교에 있는 것이 오히려 부담이 된다는 것이다. 작년만 해도 반 학생 25명 중 1명 정도가 A씨에게 손 편지로 '감사합니다'를 적어줬지만, 전날에는 아무도 그에게 편지를 주지 않았다. 그는 다행이라고 생각하면서도 편지나 꽃을 받을지 말지를 신경써야 하는 것 자체가 피곤하다고 말했다 한다.

A씨는 "저뿐만 아니라 다른 선생님들도 스승의 날을 피한다"며 "교사를 잠재적 뇌물 수수자로 보는 것도 불편하고 피곤해서 그냥 쉬었으면 좋겠다"고 토로했다.

"스승의 날은 '스승을 존경한다'는 것인데 사실 요즘 같아서는 존경은 바라지도 않고 존중만 해줬으면 좋겠다"고 심경을 털어놓았다. 최근 학부모의 악성 민원과 아동학대 신고 등으로 교권이 흔들리면서 1년 중 가장 큰 이벤트였던 '스승의 날'도 주목받지 못하고 있다. 너무 달라진 스승의 날의 표정 '격세지감(隔世之感)'이 들고 개탄(慨嘆)스러울 뿐이다.

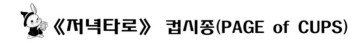 《저녁타로》 컵시종(PAGE of CUPS)

키워드 및 의미

- 아직 정제되고 성숙하지 않은 **감정적 충동**
- 이제 막 **감정의 교류에 대한 흥미**를 가지고 있음. 새로운 소식, 관계의 회복
- 주변 분위기와 감정에 영향을 많이 받으며 자신의 **감정을 숨기지 않는다.**
- 내가 원하는 것이 무엇인지를 잘 알게된 상황

교훈(오늘)· **통찰**(내일)

이것은 내가 원하는 것이 무엇인지를 알게 되어 이제 막 감정의 교류에 대한 흥미를 가지고 자신의 감정을 숨기지 않음을 나타내는 카드이다. 무언가 흥미를 가질만한 새로운 소식을 접한다는 의미인 것 같다. 굳이 연결시킨다면 '스승의 날 유감'이라는 글과 연결시킬 수 있다고 볼 수 있겠다. 예전과 달라진 새로운 상황과의 감정의 교류라고나 할까? 또한 〈내 인생의 해답〉과 관련지어 생각하면 바로 앞에 나온 글처럼 스승이 존경받는 날은 상당한 노력이 요구될 것이라고 생각된다. 이것은 누구 하나의 노력으로 되는 것이 아니라 전체 사회적인 노력이 필요할 것이라 생각된다.

---

with PAPAGO

상당한 노력이 요구될 것이다.

Considerable effort will be required

끝마치며

　마음을 단단히 먹고 하루하루 아침저녁으로 타로카드를 펼쳐서 내 나름대로 해석을 하고 하루 일상과 비교하면서 연관성을 찾고, 에너지를 집중하며, 하루의 교훈과 내일에 대한 준비 혹은 통찰하려 노력하였습니다. 그렇지만 아직은 수준이 미천한 단계의 타로카드를 해석하는 실력이기 때문에 부족한 점이나 모르고 해석되지 않은 점들도 있으리라 생각됩니다. 많은 양해바랍니다. 여기에 쓰여진 타로카드의 해석은 전적인 저의 주관적인 해석입니다. 그리고 이것을 읽는데 수월성을 위하여 제 나름대로의 형식(틀)을 취하였습니다. 또한 이것을 쓸 때 아래와 같은 '주의 사항'을 스스로 준수하려고 노력하였습니다.

● 일관성 유지 - 타로일기를 쓸 때 일관성을 유지. 매일 같은 시간에 일기를 쓰거나, 일정한 주기로 일기를 쓰기.

● 명확한 질문 - 일기를 쓰기 전에 명확한 질문을 설정. 질문이 모호하거나 너무 일반적이면 정확한 답변을 얻기 어려울 수 있음.

● 카드의 해석 - 타로카드의 해석은 주관적이며, 개인의

경험과 관점에 따라 다를 수 있음. 자신의 해석을 믿기.

• 개인적인 경험 - 타로일기에는 개인적인 경험과 감정을 기록하는 것이 중요. 카드의 해석과 함께 자신의 감정과 생각을 적음.

• 결론 도출 - 일기를 마무리할 때, 카드의 해석과 개인적인 경험을 바탕으로 결론을 도출. 이를 통해 자신의 상황을 더 잘 이해하고, 더 나은 방향으로 나아갈 수 있음.

• 존중과 책임 - 타로카드는 단지 도구로 사용되어야 합니다. 결과를 존중하고, 자신의 결정에 대한 책임을 짐.

또한 이 타로카드 일기는 아래와 같이 '다양한 목적'으로 활용할 수 있습니다.

• 자기 성찰 - 타로카드 일기는 자기 성찰의 도구로 사용될 수 있습니다. 카드를 통해 자신의 감정, 생각, 경험 등을 탐구하고 이해할 수 있습니다.

• 의사 결정 - 타로카드는 의사 결정에 도움을 줄 수 있습니다. 일기를 통해 특정 상황에 대한 조언을 얻거나, 다양한 선택지 중에서 최선의 방향을 찾을 수 있습니다.

• 감정 표현 - 타로카드는 감정을 표현하는 데에도 도움이 될 수 있습니다. 일기를 통해 자신의 감정을 카드의 이미지와 상징을 통해 시각화하고, 이를 통해 감정을 더 잘 이해하고 표현할 수 있습니다.

• 목표 설정 - 타로카드 일기는 목표 설정에 도움을 줄 수 있습니다. 카드를 통해 자신의 목표와 가치를 탐색하고, 그에 맞는 행동 계획을 세울 수 있습니다.

• 영감 - 타로카드는 창의적인 영감을 주는 도구로 사용될 수 있습니다. 일기를 통해 예술적인 아이디어나 새로운 관점을 발견할 수 있습니다.

• 자기 치유 - 타로카드 일기는 자기 치유에 도움을 줄 수 있습니다. 카드를 통해 자신의 내면을 탐구하고, 치유와 성장을 위한 인사이트를 얻을 수 있습니다.

타로카드 일기는 개인의 목적과 필요에 따라 다양하게 활용될 수 있습니다. 일기를 통해 자기 탐구와 성장을 경험해보세요. 이와같이 타로카드는 다양하게 활용될 수 있습니다.

그래서 사람들은 타로카드를 이렇게 이야기 합니다.

"타로카드는 우리의 잠재의식과 소통하는 언어이다."
 - 마리온 웨스트

"타로카드는 우리가 삶의 여정에서 길을 찾는 데 도움을 준다." - 조셉린 월

"타로카드는 우리의 내면과 외면의 세계를 연결시켜주는 다리이다." - 리사 리처드슨

"타로카드는 우리의 꿈과 현실을 조화롭게 이어주는 도구이다." - 안젤리카 퀸

"타로카드는 우리의 내면의 지혜와 직관을 일깨워준다."
 - 로버트 플레이스

이상과 같이 타로카드(TAROT CARD)의 활용(活用)은 우리가 살아가는 실생활에 여러 가지로 도움을 주고, 많은 사람들에게 영감과 지혜를 주는 도구임에 분명합니다.

감사합니다.

참고문헌

《「초보자를 위한 타로카드 올바른 안내서」 임상훈 · 황민우
　서로빛나는숲 2018년7월13일》

《「타로의 지혜」 조앤나 워터스 옮긴이 이선화 슈리
　크리슈나다스 아쉬람 2018년5월3일》

《「-타로리더가 되기 위해 필요한 단 한 권의 책- THE TAROT
　BOOK for Apprentice」 한연 도서출판 연원 2019년6월
　28일 》

《「풍신의 타로카드이야기」 풍신 선진국 퍼플 2014년
　10월7일》

《「타로 스터디를 위한 바이블 셀프 타로 북」 티나 2020년
　9월30일 》

《「타로카드 비밀의 문 」 신종민 형실미래교육원 2019년
　3월25일 》

《「내 인생의 해답」 캐롤 볼트 옮김이 천수현 쇼비픽쳐
　스(주)2011년 10월10일 》

참고사이트

《https://www.bing.com/images/》